Napoléon
(1769-1821)

Éric Anceau

Napoléon
(1769-1821)

Librio

Inédit

© E.J.L., 2004

À son maître Jean Tulard, un modeste disciple.

Préambule

> « *L'homme de génie est un météore destiné à brûler pour éclairer son siècle.* »

Napoléon Bonaparte, Discours de Lyon, 1800.

> « *Les uns disent que vous êtes un Dieu, les autres que vous êtes un diable, mais chacun convient que vous êtes plus qu'un homme.* »

Le comte de Narbonne répondant à Napoléon qui s'inquiète du jugement de l'opinion publique, 1810.

> « *Quel roman pourtant que ma vie !* »

Napoléon Bonaparte, à Sainte-Hélène, le 30 juin 1816.

Le héros de cette aventure est connu de tous. Sa stature et sa notoriété dépassent celles de tous ses contemporains au point même qu'il écrase son époque. Dans sa *Confession d'un enfant du siècle*, Alfred de Musset peut ainsi écrire, en 1836 : « Un seul homme était en vie alors en Europe, le reste des êtres tâchait de se remplir les poumons de l'air qu'il avait respiré. » Mais ce héros marque aussi les générations suivantes, en leur léguant le mal du siècle qu'exprime si bien le même Musset, lorsqu'il affirme que rien de grand et d'exaltant n'est possible depuis sa mort : « Les jeunes gens [voient] se retirer d'eux les vagues écumantes contre lesquelles ils [ont] préparé leurs bras. » Mieux encore... Chateaubriand note dans ses *Mémoires d'outre-tombe* que : « Vivant, Napoléon a marqué le monde ; mort, il le conquiert. » À cet égard, le récit que nous offre Victor Hugo, dans *Choses vues*, de l'arrivée à Paris des cendres de Napoléon en provenance de Sainte-Hélène, en date du 15 décembre 1840, mérite d'être cité : « Trois hommes du peuple, de ces pauvres ouvriers en haillons, qui ont froid et faim tout l'hiver marchent devant moi tout joyeux. L'un d'eux saute, danse et fait mille folies en criant : "Vive l'Empereur !" De jolies grisettes parées passent, menées par des étudiants. Des fiacres se hâtent vers les Invalides. [...] Le char de l'Empereur apparaît. Le soleil, voilé jusqu'à ce moment, reparaît en même temps. L'effet est prodigieux. On voit au loin, dans la vapeur et dans le soleil, sur le fond gris et roux des arbres des Champs-Élysées, à travers de grandes statues blanches qui ressemblent à des fantômes, se mouvoir lentement une montagne d'or. On n'en distingue rien encore qu'une sorte de scintillement lumineux qui fait étinceler sur toute la surface du char tantôt des étoiles, tantôt des éclairs. Une immense rumeur enveloppe cette apparition. On dirait que le char traîne après lui l'acclamation de toute la ville comme une torche traîne sa fumée. [...] On sent qu'une grande pensée traverse cette foule. »

Napoléon n'est pas seulement LA figure du XIXᵉ siècle. Il reste jusqu'à nos jours un composant essentiel de la mémoire collective de l'humanité, puisqu'il arrive en tête de tous les sondages d'opinion périodiquement consacrés aux grands personnages de l'histoire de France. Sa notoriété dépasse largement nos frontières. Les Allemands ont donné son nom à un théorème de géométrie. Les Émirats arabes ont édité un timbre-poste à son effigie à l'occasion du bicentenaire de sa naissance. L'hymne polonais actuel continue de faire référence à lui. Son prénom est porté par de nombreux enfants d'Amérique latine dont certains, tel José Napoleón Duarte, ancien président du Salvador, peuvent avoir la tentation de suivre ses traces...

Rien ne prédestinait pourtant ce héros à connaître un grand destin. Il naquit loin des sphères dirigeantes et des palais dorés, au sein d'une famille nombreuse et obscure d'un peuple d'humbles bergers sur une île perdue au milieu de la Méditerranée. Il devint néanmoins général à vingt-quatre ans, premier des Français à trente et empereur à trente-quatre. Il mit l'Europe à feu et à sang, fit trembler ses souverains, dicta sa loi à ses peuples et réforma ses institutions. Il perdit définitivement sa couronne à quarante-cinq ans et expira à cinquante et un ans seulement.

L'ascension fulgurante de Napoléon Bonaparte s'explique d'abord par son ambition et son génie. Il eut très tôt la conscience de ses grandes capacités et la volonté de les exploiter. Il fut un grand soldat, un meneur d'hommes et un stratège hors pair. Il fut l'un des premiers à comprendre le rôle primordial que la propagande était amenée à jouer dans les grands États modernes. Mais il profita également d'un concours de circonstances. Il arriva au moment propice. Inquiète des périls intérieurs et extérieurs, la bourgeoisie qui souhaitait sauvegarder ses conquêtes révolutionnaires, en particulier la direction des affaires, mais aussi les grandes libertés définies par la Déclaration des droits de l'homme et du citoyen de 1789, ainsi que la propriété des biens nationaux, se cherchait un sauveur. Napoléon Bonaparte fut cet homme. Il érigea rapidement le gouvernement au rang d'art et fit de l'administration un outil d'une remarquable efficacité. Il ne pouvait néanmoins se maintenir durablement sur le trône. Les guerres continuelles qu'il infligea à l'Europe ou qu'il se vit contraint de conduire entraînèrent les principaux souverains à se coaliser contre lui, amenèrent les notables à le lâcher et provoquèrent sa chute.

Il faut dire qu'il avait à accomplir une tâche immense et complexe. Il devait réconcilier les Français qui se déchiraient comme ils ne l'avaient jamais fait jusque-là et conduire le pays sur les rivages encore inconnus de la modernité. Façonné à la fois par l'Ancien Régime et par la Révolution, il s'y attela en tentant une synthèse originale, qualifiée par la suite de bonapartiste. Cette dernière revendiquait l'héritage de Charlemagne et de Louis XIV comme celui des états généraux et du Comité de salut public, ne reconnaissait aucun autre parti que celui de la France et était à la fois un despotisme éclairé et une forme de démocratie.

Quant au bilan de son règne, il apparaît singulièrement contrasté. De Marengo (1800) à Waterloo (1815), les guerres ont quasiment été le quotidien des Français du Consulat et de l'Empire. Le million de morts qu'elles ont provoqué s'est ajouté aux trois cent mille victimes des conflits de la Révolution et a orienté la France vers un déclin démographique. Par ailleurs, Napoléon Bonaparte n'est pas parvenu à réduire la fracture politique du pays. Cette dernière s'est même aggravée après son retour avorté de 1815. Cet épisode des Cent-Jours a ramené la France à ses frontières des débuts de la Révolution et lui a imposé à la fois un isolement diplomatique complet, une occupation durable de son territoire et une lourde indemnité de guerre. Au total, la puissance française s'est indéniablement amoindrie. Cependant, Napoléon a aussi légué à la France contemporaine le Conseil d'État, la Cour des comptes, le corps préfectoral, la Légion d'honneur, les lycées ou encore le Code civil. À travers l'Europe, il a été perçu tantôt comme un oppresseur, tantôt comme un libérateur. Il a pillé les pays dominés et, par réaction, a fait naître chez eux le sentiment national, mais il a également ébranlé de façon décisive les structures archaïques de l'ancien monde, a fourni des modèles administratifs et juridiques pour l'avenir et a fait revivre l'espoir de nombreux peuples.

Parce qu'il est rarissime qu'un seul homme influe sur le destin de tant d'autres et bâtisse une œuvre aussi immense, Napoléon, par sa personnalité riche et complexe, passionne, fascine, irrite. Très tôt, deux légendes l'ont entouré. La légende noire, qui atteignit son paroxysme sous l'Empire lorsque l'or anglais inondait l'Europe de caricatures et de pamphlets, a présenté l'empereur des Français tour à tour en nain, en ogre et en diable et a continué bien après sa mort. Les premières pages de la légende dorée datent des campagnes d'Italie et d'Égypte. Des nouvelles ont été écrites sous le Consulat et sous l'Empire et d'autres, plus nombreuses, après 1815. Le général victorieux et le bâtisseur d'empire se sont alors effacés devant le génie incompris et le martyr. Le *Mémorial de Sainte-Hélène* a récrit l'histoire en faveur de Napoléon. Dès sa publication en 1823, l'ouvrage s'est imposé comme l'évangile de la religion bonapartiste, à défaut de devenir le succès de librairie que l'on prétend parfois.

Aux thuriféraires et aux détracteurs sincères, se sont ajoutés les industriels de l'écriture qui n'ont vu et ne voient encore en Napoléon qu'un « produit vendeur », les frustrés pour lesquels le héros se prête à tous les fantasmes, les drôles qui sont prêts aux révélations les plus sensationnelles et les plus fantaisistes (l'Empereur aurait été empoisonné à Sainte-Hélène ; il s'en serait évadé ; les cendres déposées aux Invalides ne seraient pas les siennes...) et, fort heureusement, les historiens qui cherchent à démêler le vrai du faux dans des ouvrages érudits, mais parfois difficilement abordables. Il ne se passe pas un jour sans que l'on écrive sur Napoléon. En 1908, Kircheisen estimait déjà que plus de soixante-dix mille livres et articles lui avaient été consacrés. Le mouvement n'a fait que se poursuivre et s'amplifier. Devant l'abondance de cette production, le lecteur peut, à juste titre, être pris de vertige. Le présent ouvrage n'a d'autres prétentions que de lui apporter les éclaircissements nécessaires sur le grand homme auquel il sera souvent donné la parole. Son faible volume ne lui permet pas d'ambitionner l'exhaustivité. Il ne peut non plus se considérer comme définitif car l'histoire de Napoléon « ne sera jamais achevée, ni totalement écrite ».

Chapitre I

Entrer dans la vie
(1768 – 1796)

L'instruction – Les premières armes – La Révolution française

> « *Des soucis ont gâté mes jeunes années. Ils ont influencé mon humeur. Ils m'ont rendu grave avant l'âge.* »
>
> Napoléon BONAPARTE, confidence rapportée par le maréchal du palais Duroc, 1810.

De naissance et d'éducation, Napoléon Bonaparte est un enfant du XVIIIe siècle. Il naît le 15 août 1769, jour de l'Assomption, dans la maison que possèdent ses parents à Ajaccio. Sa mère, Maria Letizia Ramolino, n'a que dix-neuf ans, mais en est déjà à sa quatrième grossesse. Son père, Carlo Buonaparte, en a vingt-trois. Il est avocat et possède quelques biens fonciers. Il appartient à une famille de petite noblesse originaire de Toscane, venue s'établir en Corse au XVIe siècle et qui, sans être l'une des plus influentes de l'île, compte beaucoup. En témoigne son rôle récent : elle a soutenu la révolte de ses compatriotes contre l'occupation génoise puis, lorsque les Génois, totalement débordés et en proie à des difficultés financières, ont cédé leur souveraineté sur la Corse à la France par le traité de Versailles du 15 mai 1768, elle a combattu cette nouvelle domination aux côtés du général Pasquale Paoli dont Carlo a été l'un des proches. Après l'écrasement de la République corse à Ponte-Novo, le 9 mai 1769, et le départ de Paoli pour l'exil, Carlo se rallie néanmoins aux Français. Il fait sa cour au gouverneur, le comte de Marbeuf, dans l'espoir d'obtenir des places et des faveurs qui lui sont d'autant plus nécessaires que ses terres lui rapportent peu, que ses placements sont malheureux et que sa famille s'agrandit.

En effet, huit des douze enfants que lui donne Letizia survivent. À Giuseppe (Joseph) né en 1768 et à Napoleone (Napoléon) s'ajoutent bientôt Luciano (Lucien), Maria Anna (Élisa), Luigi (Louis), Maria Paoletta (Pauline), Maria Anunziata (Caroline) et Geronimo (Jérôme), nés respectivement en 1775, 1777, 1778, 1780, 1782 et 1784. Parmi tous ces prénoms, francisés par la suite, voire changés par les jeunes femmes qui ne les aiment pas, celui de Napoleone intrigue car il est rare à l'époque. Il a été donné en hommage à un oncle mort douze ans avant la naissance de l'enfant et qui avait sans doute été lui-même nommé ainsi par référence à un martyr chrétien de la ville de Naples (*Napoli*) ou de celle d'Alexandrie (*Nea Polis*).

Le petit Napoleone est élevé par une mère peu instruite et parlant mal le français, mais admirée (elle est très distinguée et d'une grande rigueur morale) et crainte (elle n'hésite pas à administrer le martinet à ses enfants). Alors que l'enfant apprend à lire et à écrire dans un collège religieux d'Ajaccio, les efforts de Carlo (Charles) sont couronnés de succès. La France se cherche des soutiens dans l'île et fait de lui un assesseur du juge royal d'Ajaccio et un avocat au Conseil supérieur de Corse. Reconnu en 1772 comme appartenant à une noblesse d'au moins deux cents ans, il entre au conseil des Douze nobles puis fait partie, en 1777 et en 1778, de députations chargées d'aller porter l'hommage de l'île à Louis XVI. La seconde fois, il emmène avec lui ses deux premiers fils, Giuseppe et Napoleone, dont il souhaite faire de bons Français.

Sur la route de la capitale, Carlo fait étape à Autun où le frère du gouverneur de Corse est évêque. Il inscrit ses fils au collège jésuite de la ville pour qu'ils y perfectionnent leur français. Nous sommes le 1er janvier 1779 et Napoleone n'a pas dix ans. L'enfant ne reste que deux mois chez les religieux. Le 15 mai 1779, une bourse royale lui permet en effet d'entrer au collège militaire de Brienne, en Champagne. Il s'agit là d'une chance immense pour le jeune Corse car ce collège a pour vocation de préparer six cent cinquante fils de gentilshommes au métier des armes et offre la possibilité aux mieux notés d'entre eux de parfaire leur formation à la prestigieuse École militaire de Paris située sur le Champ-de-Mars et destinée à la future élite de l'armée.

À Brienne, où il passe cinq ans et demi, le garçon subit d'abord les vexations de ses condisciples en raison de son origine modeste, de ses habits râpés, de ses racines corses, de son français encore approximatif et de son allure chétive. Son prénom tourné en dérision devient « la paille au nez ». S'il finit par se faire quelques amis comme Bourrienne qui devient son secrétaire particulier en 1797, il se complaît dans la solitude, encore renforcée par l'éloignement de sa famille. Il se réfugie dans la lecture, en particulier celle de Corneille auquel il voue un culte tout au long de sa vie. Il se passionne pour quelques matières comme la géographie et surtout l'histoire des « hommes les plus vertueux de l'humanité » dont Jules César, archétype selon lui de l'homme d'État, de guerre et de plume et qui devient son premier modèle. Certains de ses camarades auraient tôt perçu ses aptitudes au commandement à la faveur d'une légendaire partie de boules de neige. Plusieurs professeurs lui auraient prédit un bel avenir au regard de ses résultats scolaires. Pour l'heure, sa fierté toute corse lui vaut quelques ennuis. Alors qu'un maître veut le faire dîner à genoux pour le punir, il lui lance : « Je dînerai debout, Monsieur, et non à genoux. Dans ma famille, on ne s'agenouille que devant Dieu ! » Il est coléreux, mais beaucoup de ses colères sont feintes et ont pour but de jauger l'interlocuteur, d'obtenir de lui quelque avantage ou de le faire céder. Dépressif, il pense souvent à la mort et envisage parfois le suicide. Il n'en poursuit pas moins sa scolarité et est reçu à l'examen de sortie dès sa première tentative, ce qui lui confère le titre de cadet-gentilhomme et lui permet d'entrer, en octobre 1784, à l'École militaire de Paris.

Il a désormais quinze ans, a beaucoup mûri et se prépare à sa future carrière. Pour cela, il dévore de nombreux ouvrages techniques dont l'*Essai général de tactique* de Guibert qui lui apprend l'intérêt d'organiser des divisions regroupant toutes les armes, d'alléger les troupes et d'assouplir les formations pour manœuvrer rapidement sur le champ de bataille, prendre l'ennemi par surprise et le vaincre en l'enveloppant. Ses professeurs, dont le mathématicien Monge, louent ses résultats et son comportement. Le jeune homme parle vite, avec un accent corse assez prononcé, mais s'exprime bien à l'oral comme à l'écrit. Il ne fait ni plus ni moins de fautes d'orthographe que ses contemporains. Sa culture est très étendue et sa mémoire prodigieuse. Il excelle dans les disciplines scientifiques, ce qui lui vaut d'être orienté vers une arme savante : l'artillerie. Il ne sort de l'École, en octobre 1785, que quarante-deuxième sur cinquante-huit et il s'agit là, à n'en pas douter, d'une déception pour celui qui se voit déjà un grand destin. Cependant, il faut tenir compte de ses origines, de son isolement, du fait qu'il obtient son brevet d'artillerie en une année seulement avec un an d'avance, et de la mort de son père survenue le 24 février précédent.

Buonaparte est alors affecté comme lieutenant en second au régiment d'artillerie de La Fère qui est d'abord stationné à Valence puis qui part à Lyon, Douai et Auxonne avant de revenir à Valence. Il y acquiert la connaissance du terrain et de la tactique à la faveur de manœuvres. Pour tromper son ennui et échapper aux servitudes de la vie de garnison, il multiplie les demandes de congés. Entre octobre 1785 et septembre 1791, il n'est finalement présent au corps que trente-trois mois sur soixante et onze. S'il se rend à Paris, où il est déniaisé par une prostituée du Palais-Royal en novembre 1787, il passe l'essentiel de ses congés sur son île natale. Sa présence est d'autant plus importante qu'avec le décès de son père et le départ de son frère aîné, Giuseppe, à Pise, pour suivre des études de droit, il est désormais le chef du clan. Il profite de ces séjours pour se livrer à des promenades solitaires dans le maquis ou pour méditer dans la propriété familiale des Milelli d'où il contemple le golfe d'Ajaccio et les îles Sanguinaires. Dans les nombreux écrits de cette période qu'il nous a laissés, il clame sa passion pour sa terre natale et son hostilité à l'égard de la France : « J'ai puisé la vie en Corse et avec elle un violent amour pour mon infortunée patrie et pour son indépendance... Les Corses ont pu, en suivant toutes les lois de la justice, secouer le joug génois et peuvent en faire autant de celui des Français. » Il fustige au passage ses compatriotes « chargés de chaînes qui baisent en tremblant la main qui les opprime ». Il émet aussi quelques jugements politiques hardis. Ainsi lit-on dans sa *Dissertation sur l'autorité royale* datée de 1788 : « Il n'y a que peu de rois qui n'eussent pas mérité d'être détrônés. »

C'est à Auxonne qu'il est témoin des débuts de la Révolution. Il participe à plusieurs opérations de maintien de l'ordre au printemps 1789 et voit dans la mutinerie d'une partie de son régiment, en août suivant, le premier signe de la chute de la monarchie dont doit sortir, selon lui, l'indépendance de sa patrie. C'est pourquoi il demande aussitôt un nouveau congé et arrive à Ajaccio en septembre. Il y apprend le décret du 30 novembre 1789 qui déclare la Corse française, mais également le rappel d'exil de Paoli. Il fait aussitôt placer sur sa maison une banderole en l'honneur de ce dernier et aspire à devenir son principal lieutenant. Lorsque son héros est attaqué par plusieurs de ses compatriotes et présenté comme un « charlatan politique », il prend sa défense en écrivant sa *Lettre à Matteo Buttafuoco*. Mais son congé expirant, il doit regagner son régiment, à Auxonne, en février 1791. Il est alors nommé premier lieutenant et s'inscrit au club des Jacobins où il se montre de plus en plus hostile à la monarchie. Il participe également au concours lancé par l'Académie de Lyon sur la question : « Quelles vérités et quels sentiments importe-t-il le plus d'inculquer aux hommes pour leur bonheur ? » mais son travail, inspiré par Jean-Jacques Rousseau et par l'abbé Raynal, ne rencontre aucun succès.

La Corse continue d'occuper son esprit et il décide d'y retourner, en septembre 1791. Il s'y fait élire lieutenant-colonel d'un bataillon de volontaires. Cependant, il ne parvient pas à obtenir mieux et se rend à Paris pour obtenir sa réintégration dans son arme. Il est alors le témoin de la prise des Tuileries et de la chute de la monarchie, le 10 août 1792. Il en est profondément marqué, parce que c'est la première bataille à laquelle il assiste et à cause de l'ampleur du carnage. Il en tire un profond dégoût pour la populace, mais l'événement le conforte dans son mépris pour la monarchie et l'aristocratie qui l'a soutenue. Après l'exécution du roi Louis XVI, le 21 janvier 1793, une formidable coalition se forme contre la France. Rentré depuis peu en Corse, Buonaparte tente vainement de prendre des îlots au roi de Sardaigne. Il n'en récolte qu'une blessure à la jambe. Rien ne semble décidément lui réussir sur sa terre natale. C'est alors que se situe le premier grand tournant de sa vie.

En avril 1793, Buonaparte se brouille avec Paoli qui, résolu à séparer la Corse de la France révolutionnaire, est bientôt décrété d'arrestation par la Convention nationale sur dénonciation de Luciano, frère de Napoleone. En optant pour la Révolution française et sa jeune République contre la sécession de la Corse, Buonaparte vient d'accomplir un choix décisif. Il est désormais français avant d'être corse, mais il est aussi menacé d'assassinat et sa famille de vendetta. Alors que leur maison est mise à sac, les Buonaparte sont indésirables sur leur île natale et décident de la quitter. Après un court séjour près de Toulon, Letizia s'installe à Marseille avec ses enfants pendant que Napoleone reprend à Nice le commandement d'une compagnie de son régiment. Il est alors confronté à l'insurrection fédéraliste qui embrase la Provence comme d'ailleurs une grande partie de la France. En réaction, il rédige *Le Souper de Beaucaire*, une œuvre qui, pour être de fiction, n'en est pas moins remarquablement informée sur la situation politique du moment. Il y condamne le fédéralisme et adhère aux thèses montagnardes, tout en réclamant la réconciliation nationale.

Le 16 septembre 1793, il reçoit d'ailleurs des Montagnards, alors au pouvoir, le commandement de l'artillerie au siège de Toulon que les fédéralistes ont livré aux Anglais. Il paie de sa personne en remplaçant un canonnier qui vient d'être tué sous ses yeux ou en dormant au milieu de ses hommes. Malgré le désaccord de son supérieur hiérarchique, il obtient du Comité de salut public une attaque de la ville par l'artillerie soutenue par l'infanterie. Après avoir organisé le bombardement, il est en première ligne lors de l'assaut du 17 décembre. Alors que son cheval est tué et qu'il prend lui-même un coup de baïonnette dans la cuisse, il continue le combat pour donner l'exemple à la troupe. De fait, les Anglais sont contraints d'évacuer la rade et la ville est reprise le 19. Ce fait d'armes vaut à Buonaparte d'être nommé, trois jours plus tard, général de brigade sur proposition d'Augustin de Robespierre, frère de la personne la plus puissante de France, Maximilien de Robespierre. Il n'a que vingt-quatre ans. Il apparaît alors comme l'un des hommes de la Montagne, mais le général Dugommier qui vient de le voir à l'œuvre note de façon perspicace : « Si on était ingrat envers lui, cet officier avancerait tout seul. » Grâce à ses protecteurs, le jeune général obtient, le 24 mars 1794, le commandement de l'artillerie de l'armée d'Italie qui opère sur la frontière. En tout, il se comporte déjà en chef. À Junot devenu son aide de camp après avoir servi sous ses ordres à Toulon et qui lui demande la main de sa sœur Maria Paoletta, il oppose un refus ferme et définitif : « Tu n'as rien, elle n'a rien. Quel est le total ? Rien. » Audacieux, il tente de convaincre le Comité de salut public de lui confier une armée pour attaquer l'Autriche par l'Italie.

Le vent tourne pourtant. Le 9 thermidor an II (27 juillet 1794), Robespierre et ses amis sont renversés et exécutés le lendemain. Buonaparte est aussitôt arrêté et incarcéré au fort d'Antibes. Cependant, devant l'absence de charges sérieuses, il est libéré dès le 20 août. Il est réintégré dans son cadre, mais ne se voit plus confier de commandement avant janvier 1795. À cette époque, il est envoyé à Toulon pour y organiser une expédition contre la Corse qui, sous l'influence de Paoli, a décidé de s'unir à l'Angleterre. Si le projet avorte, il reçoit, le 29 mars 1795, un commandement à l'armée de l'Ouest, char- gée d'éradiquer la chouannerie. Cependant, il n'a pas envie de laisser s'évanouir son rêve italien. En outre, il vient de se fiancer à Désirée Clary (dont la sœur aînée, Julie, a épousé Giuseppe l'année précédente) qui appartient à une riche famille de négociants marseillais. Il se rend alors au Comité de salut public pour exprimer son refus et entre au sein du bureau topographique. Il s'y montre très actif et enrichit sa science militaire en travaillant sur la précieuse collection des plans et cartes du dépôt de la Guerre. En août, il demande néanmoins à partir pour l'Empire ottoman qui cherche des officiers étrangers pour moderniser son armée. Il n'obtient pas gain de cause. Mais il y a plus grave. Son refus de servir dans l'Ouest lui vaut, le 15 septembre, d'être rayé de la liste des généraux en activité. Avec sa demi-solde, il vit dans la gêne et voit s'envoler son espoir d'épouser Désirée Clary. Il souffre de la gale depuis le siège de Toulon et est d'une maigreur effrayante. Stendhal qui le rencontre alors note : « La redin- gote qu'il portait était tellement râpée, il avait l'air si misérable que j'avais peine à croire d'abord que cet homme fût un géné- ral. » Indiscutablement, il traverse l'une des périodes les plus noires de sa vie et trompe son ennui en ébauchant un roman autobiographique et mélancolique, *Clisson et Eugénie*. Il a, de nouveau, des idées de suicide.

C'est à l'ancien représentant en mission de la Convention au siège de Toulon, Barras, qu'il doit de rentrer en grâce et de revenir sur le devant de la scène. Désireux de se perpétuer au pouvoir, les Conventionnels thermidoriens, régicides et ter- roristes, dont Barras est l'un des chefs, ont rédigé la Consti- tution de l'an III. Celle-ci crée le régime du Directoire avec un exécutif collégial de cinq membres désigné par deux assemblées, le Conseil des Anciens et celui des Cinq-Cents, dont il est prévu de recruter les deux tiers des membres au sein de la Convention. Ces perpétuels espèrent ainsi écarter à la fois les jacobins et les royalistes. Cependant ces derniers, frustrés d'une victoire électorale qu'ils estimaient certaine sans le décret des deux tiers, se soulèvent avec le soutien des beaux quartiers de l'Ouest parisien et des bourgeois modérés, outrés par cet abus de pouvoir. Barras est alors nommé par la Convention à la tête de l'armée de l'Intérieur pour mater l'insurrection. Il fait aussitôt appel à de jeunes et talentueux officiers sans emploi dont Buonaparte qui l'avait ébloui à Toulon. Le 13 vendémiaire an IV (5 octobre 1795), Buonaparte s'illustre en donnant l'ordre de s'emparer des canons du camp des Sablons qui pourraient servir aux insurgés, en faisant barrer les voies qui mènent aux Tuileries, siège de la Convention, puis en mitraillant les rebelles. Ce faisant, il joue un rôle décisif dans la victoire de la Convention. L'opinion ne s'y trompe d'ailleurs pas. Il devient le « général Vendémiaire ».

Défenseur du nouveau régime, Buonaparte n'attend pas longtemps avant d'en tirer les dividendes. Le 16 octobre, il est promu général de division et, dix jours plus tard, il reçoit le commandement de l'armée de l'Intérieur en remplacement de Barras, appelé pour sa part à la tête de l'État. Il fréquente les salons des Incroyables et des Merveilleuses qui tiennent le haut du pavé, arbitrent les élégances, font et défont les réputations et « ses bottes mal faites, mal cirées », son « teint jaune », son habitude de ne s'exprimer que par monosyllabes ne l'empêchent pas d'être à la mode. C'est là qu'il retrouve Marie-Josèphe Rose Tascher de La Pagerie, rencontrée peu de temps avant vendémiaire. Elle est la fille d'un planteur de la Martinique, la veuve du général de Beauharnais, ancien président de la Constituante guillotiné sous la Terreur, et l'ancienne maîtresse de Barras. Elle n'est pas belle, mais sait plaire. Buonaparte apprend à la connaître et tombe sous son charme. Il l'appelle rapidement Joséphine dans les lettres enflammées qu'il lui envoie : « Je me réveille plein de toi. Ton portrait et le souvenir de l'enivrante soirée d'hier n'ont point laissé de repos à mes sens. Douce et incomparable Joséphine, quel effet bizarre faites-vous sur mon cœur ? [...] *Mio dolce amor*, reçois un millier de baisers, mais ne m'en donne pas, car ils brûlent mon sang. » La passion de Buonaparte est sincère, même si l'intérêt qu'il a à fréquenter l'une des égéries du Directoire est également évident. Alors que Joséphine est notoirement volage, qu'elle a sept ans de plus que lui et deux grands enfants, Eugène et Hortense, et que l'on ne sait pas de quoi l'avenir politique sera fait, il décide de l'épouser. Le mariage a lieu le 9 mars 1796.

Napoleone est maintenant un général en vue, un époux et même un père puisqu'il considère immédiatement les deux enfants de Joséphine comme les siens et qu'il finira par les adopter. Il pense et vit désormais en Français et non plus en Corse, et ses ambitions sont françaises. Il choisit donc de franciser son nom. À vingt-six ans, Napoleone Buonaparte devient Napoléon Bonaparte. Un homme nouveau est né.

Chapitre II

Entrer dans l'Histoire
(1796 – 1799)

Les campagnes d'Italie, d'Égypte et de Syrie

> « *De nos jours, personne n'a rien conclu de grand ; c'est à moi de donner l'exemple.* »
>
> Napoléon BONAPARTE, 1796.

Une semaine avant son mariage, Bonaparte a été nommé général en chef de l'armée d'Italie. Il a enfin réussi à faire accepter son plan d'attaque de l'Autriche par son talon d'Achille italien. Cependant, dans l'esprit du directeur Carnot, l'Italie reste un terrain d'opérations secondaires. Le spécialiste de la guerre au sein du directoire exécutif entend que le gros de l'effort contre Vienne soit porté en Allemagne, par les armées de Jourdan et de Moreau. Bonaparte a pour mission essentielle de protéger la frontière des Alpes, de tenir en respect les princes italiens et, au mieux, de faire diversion. La campagne d'Italie bouleverse ce projet. En vingt mois, Bonaparte va révéler son génie militaire au monde, imposer ses propres vues au gouvernement et dicter sa loi à l'ennemi.

À Nice, le 27 mars 1796, le premier contact entre Bonaparte et ses nouveaux subordonnés est très froid. Les divisionnaires Augereau, Masséna, Sérurier et Laharpe sont des généraux aguerris. Ils ne prennent pas la peine de se découvrir devant cet homme qui est leur cadet de plus de dix ans, qui a l'allure si frêle et si juvénile et les cheveux si longs et si mal coiffés. Il suffit cependant de quelques minutes à Bonaparte pour leur faire comprendre qu'il est le chef et qu'il entend se faire respecter. L'armée elle-même ne réunit que trente-cinq mille fantassins, quatre mille cavaliers et très peu d'artillerie. Elle est affamée, indisciplinée et condamnée à rapiner pour vivre. Bonaparte lui offre rien de moins que de vivre une épopée : « Soldats, vous êtes nus, mal nourris... je veux vous conduire dans les plus fertiles plaines du monde. De riches provinces, de grandes villes seront en votre pouvoir. Vous y trouverez honneur, gloire et richesse. » Le verbe a de quoi enthousiasmer. Le geste doit suivre.

Bonaparte a déjà en tête la campagne qu'il va mener. Il connaît parfaitement le terrain pour avoir étudié les cartes de l'Italie durant de longs mois. Il sait que ses faibles effectifs vont l'obliger à diviser ses adversaires, en l'occurrence les Sardes et les Autrichiens, pour les vaincre séparément. Il est persuadé qu'il lui faut d'abord venir à bout des premiers qui sont plus faibles de façon à perdre un minimum de temps et à donner confiance à son armée. En s'abattant sur ses ennemis telle la foudre, au prix de marches rapides, il espère les prendre totalement par surprise. Sur le champ de bataille, il entend coupler la vitesse d'exécution à l'effet de masse pour détruire l'armée adverse en l'attaquant au point jugé décisif. Intelligemment, il se donne néanmoins la possibilité de modifier tous ces calculs en fonction de la tournure des événements.

Dès l'entrée en campagne, les victoires se succèdent. À Montenotte, le 12 avril, Bonaparte sépare les Sardes et les Autrichiens, puis il écrase les premiers à Mondovi, le 21. Il écrit alors au directeur Barras : « Jusqu'à présent, j'ai livré six batailles à l'ennemi. Je lui ai fait, en dix jours, douze mille prisonniers. Je lui ai tué six mille hommes, pris vingt et un drapeaux et quarante canons. Tu vois que je n'ai pas perdu mon temps et que j'ai répondu à votre confiance. » Cependant, il commence à ne pas respecter les ordres qu'on lui envoie. Il ménage ainsi le roi de Piémont-Sardaigne à l'armistice de Cherasco du 28 avril, alors que le Directoire entend républicaniser l'Italie. Le roi conserve ainsi son trône et se contente de renoncer définitivement au comté de Nice et à la Savoie. De même, Bonaparte refuse de marcher sur Rome pour y renverser le pape. Jusque-là, la Révolution avait été sévère à l'égard de ses généraux désobéissants ou récalcitrants en obligeant Lafayette et Dumouriez à la désertion, en condamnant Hoche à la prison et Custine à la guillotine. Mais le Directoire, qui rencontre des difficultés de tous ordres et n'est pas insensible aux trésors italiens que fait miroiter Bonaparte, s'incline.

Le 5 mai, le général se retourne contre les Autrichiens en attaquant la Lombardie. Le 10, il culbute l'ennemi sur l'Adda. Même si, contrairement à la légende, il n'entre pas le premier sur le pont de Lodi, un drapeau à la main, en bravant le feu nourri de l'ennemi, il fait preuve de bravoure lors de ce combat et manque d'y laisser la vie. Lodi lui procure un grand ascendant sur ses troupes – qui le surnomment maintenant le « petit caporal » – et le respect de ses adversaires. Il reconnaît plus tard que c'est au soir de cette bataille que lui « est venue l'ambition d'exécuter les grandes choses qui jusque-là occupaient [sa] pensée comme un rêve fantastique ». « Je me regardai non plus comme un simple général, note-t-il aussi, mais comme un homme appelé à influer sur le sort d'un peuple. » Il est accueilli en libérateur à Milan, le 15, pendant que les Autrichiens s'établissent solidement dans Mantoue.

Après avoir contraint les princes italiens alliés à Vienne à l'armistice, occupé une partie des États pontificaux et mis à contribution la majeure partie de l'Italie pour payer la solde de ses troupes, Bonaparte se retourne contre les Autrichiens et vainc les trois armées qu'ils envoient pour débloquer Mantoue avant leur jonction, à Lonato, le 3 août, à Castiglione, le 5 août et à Bassano, le 8 septembre. Pendant que Jourdan et Moreau subissent de graves revers en Allemagne, il est partout et toujours victorieux. Il allie alors, comme rarement, le génie stratégique et tactique, la science du commandement, la connaissance de l'âme humaine, la résistance physique et le courage. Dans les marais d'Arcole, il parvient ainsi le 17 novembre à défaire une nouvelle armée de déblocage de Mantoue, après trois jours de furieux combats au cours desquels il s'est élancé avec un drapeau à la tête de ses troupes, les appelant à renouveler la geste de Lodi. Le 14 janvier 1797, il bat enfin la dernière armée de secours ennemie sur le plateau de Rivoli. Le 2 février, la capitulation de Mantoue lui ouvre la route du Tyrol. Après avoir satisfait le directoire en signant avec le pape, le 19 février, le traité de Tolentino par lequel Pie VI cède à la France le Comtat, abandonne les Légations, verse une lourde contribution et quantité d'œuvres d'art, Bonaparte bouscule les Autrichiens sur le Tagliamento, le 16 mars, grâce aux renforts qu'il a reçus. Il leur prend Klagenfurt le 28 mars et les oblige à signer à la fois un armistice et des préliminaires de paix à Leoben, le 18 avril.

Bonaparte se montre fin politique. Il apprend que Hoche vient d'entrer en Allemagne et risque d'y remporter des succès qui ne rendront plus les siens indispensables pour le Directoire. En outre, il sait que la victoire des royalistes et de leurs amis hostiles à toute idée d'expansion, lors des élections législatives, peut entraîner son désaveu. Aussi, après avoir attaqué la Sérénissime République de Venise rendue responsable du massacre de soldats français à Vérone, il décide de faire régner la paix en Italie pour mieux organiser ses conquêtes et surveiller plus attentivement les remous de la politique française. La Lombardie devient une République transpadane organisée sur le modèle de la République française, puis, agrandie en juillet de Modène, des Légations pontificales, des provinces vénitiennes de Bergame et de Brescia, elle est transformée en république Cisalpine. Les anciennes Républiques oligarchiques de Gênes et de Venise disparaissent et la première est remplacée par une république Ligurienne inspirée, elle aussi, de l'exemple français. Dans ces nouveaux États, Bonaparte concentre entre ses mains les pouvoirs militaire, politique, diplomatique et financier. Il devient également l'arbitre des conflits politiques qui se déroulent alors en France. Il décide de soutenir le directoire exécutif à majorité républicaine contre les Conseils dominés par les royalistes. Il fournit ainsi aux directeurs les papiers saisis sur le comte d'Antraigues à Trieste qui prouvent formellement que Pichegru, président du Conseil des Cinq-Cents, prépare une restauration monarchique, puis il envoie Augereau et sa division pour mettre au pas les royalistes. C'est grâce à lui que les directeurs peuvent épurer les Conseils lors du coup d'État du 18 fructidor an V (4 septembre 1797). Il a donc les coudées franches pour signer avec l'Autriche le traité de Campoformio du 17 octobre 1797 qui reconnaît à la France la possession de la Belgique et même, par un article secret, la quasi-totalité de la rive gauche du Rhin et qui stipule la renonciation de Vienne aux provinces lombardes contre l'attribution des territoires vénitiens, moins les îles Ioniennes.

S'il est inconcevable que l'Angleterre accepte l'annexion du littoral belge par les Français et que les princes rhénans se laissent spolier, cette paix procure à Bonaparte une immense popularité. Il entretient celle-ci grâce à une presse financée par les contributions exigées des Italiens. Il n'est certes pas le premier général victorieux, mais il est le premier à mettre ainsi en valeur ses victoires. Au *Courrier de l'armée d'Italie* distribué gratuitement aux soldats, largement diffusé en France et de sensibilité jacobine, s'ajoutent *La France vue de l'armée d'Italie* plus modérée et le *Journal de Bonaparte et des hommes vertueux* au titre ô combien significatif. Le général, dont les victoires sont encensées et grossies, y est présenté comme un être pur et simple, parfait contraire des hommes au pouvoir en France. Il tient du surhomme : « Bonaparte vole comme l'éclair et frappe comme la foudre. Il est partout et il voit tout... » À cette propagande par le texte s'en ajoute une autre par l'image : Gros représente ainsi Bonaparte à Arcole dès 1796. Or, le général est loin d'être aussi vertueux que le prétendent ses zélateurs. Si le pillage des œuvres d'art italiennes comme le *Laocoon* et l'*Apollon du Belvédère* pris au Vatican ou *Les Noces de Cana* et les Chevaux de Saint-Marc volés à Venise a lieu sur ordre du directoire exécutif et si la majeure partie des sommes prélevées en Italie part en France ou paie l'occupation, Bonaparte exploite aussi le pays pour financer sa propagande, voire pour son enrichissement personnel. Il confisque ainsi à son entier profit les mines d'Idria. En outre, il vit dans le faste au château de Mombello, près de Milan, et s'entoure d'une cour brillante composée de diplomates, de fonctionnaires de haut rang, d'écrivains et d'artistes.

Nommé par le directoire plénipotentiaire au congrès de Rastadt où la question du Rhin doit être traitée, il quitte néanmoins l'Italie fin novembre 1797 et, après avoir signé une convention secrète avec les délégués autrichiens sur les modalités de l'évacuation de Mayence par les troupes impériales et des territoires vénitiens par les armées françaises, il est de retour à Paris le 5 décembre. Le cœur de la capitale bat pour lui. Le théâtre présente *Le Pont de Lodi* pendant que la rue dans laquelle il réside est rebaptisée rue de la Victoire. On se l'arrache dans les soirées. Cependant, il sait l'opinion versatile. Aux multiples hommages qu'il reçoit, il répond simplement, par calcul, et prend soin de se présenter en civil plus qu'en militaire. Il se fait ainsi élire membre de l'Institut dans la classe des sciences physiques et mathématiques, ce qui le rapproche des intellectuels. « Les vraies conquêtes, les seules qui ne donnent aucun regret, sont celles que l'on fait sur l'ignorance », écrit-il habilement dans son remerciement au président de l'Institut. Le ministre des Relations extérieures, Talleyrand, qui se veut son mentor depuis qu'il a perçu en lui un homme d'avenir, lui démontre que son heure n'est pas encore venue. Bonaparte n'a pas l'âge légal pour entrer au directoire exécutif. La situation n'est pas mûre pour renverser le régime. Il faut donc songer à autre chose.

Le Directoire confie à Bonaparte le commandement en chef de l'armée d'Angleterre pour amener la « perfide Albion », dernier adversaire de la France, à traiter. Un débarquement outre-Manche est projeté, mais en inspectant la marine de guerre, en février 1798, le général est catastrophé par l'état des forces navales françaises. Il risque de perdre tout son prestige dans une opération hasardeuse. Il suggère donc de renoncer à la descente, au profit d'une attaque des intérêts anglais en Hanovre ou en Égypte. Si la première proposition présente l'inconvénient de détruire l'œuvre de Rastadt, la seconde risque de précipiter l'Empire ottoman dont relève l'Égypte dans l'alliance anglaise et dans la guerre contre la France. L'idée est néanmoins retenue. En 1796, le consul de France au Caire n'assurait-il pas que le pouvoir y était si fragile qu'une bataille suffirait pour le renverser ? S'emparer du pays permettrait d'ailleurs de couper la route de l'Orient aux Anglais, d'avoir une base d'opération idéale pour une future attaque de l'Inde, joyau de l'Empire anglais, et de s'approprier d'immenses richesses. Selon le mot de Talleyrand, cette colonie « vaudrait à elle seule toutes celles que la France avait perdues ». De son côté, Bonaparte pense que le commandement d'une telle expédition est le meilleur moyen de rehausser son prestige en évitant de se compromettre dans les querelles intestines du régime. Il déclare à son secrétaire, Bourrienne : « L'Europe n'est qu'une taupinière. Tout s'use ici. Il faut aller en Orient, toutes les grandes gloires viennent de là. » Quant au directoire exécutif, il voit dans l'expédition la possibilité d'éloigner ce brillant général devenu quelque peu encombrant. Le 5 mars 1798, il donne son accord.
On a rarement entrepris jusque-là une expédition d'une telle ampleur. Une flotte de trois cent six navires doit en effet transporter, outre douze cents chevaux et cent soixante et onze canons, seize mille marins, trente-huit mille soldats. Ils ont, pour la plupart, déjà servi sous Bonaparte en Italie et sont encadrés par ses fidèles lieutenants, les Lannes, Murat, Bertrand, Berthier, Davout, Duroc, Junot, Lassalle, Marmont, Bessières, ainsi que par deux anciens chefs de l'armée du

Rhin : Kléber et Desaix. Mais, trait de génie du général, l'expédition qui doit permettre d'« éclairer le monde » sur la civilisation égyptienne tout en procurant « un trésor aux sciences » comprend aussi plus de deux cents mathématiciens, astronomes, ingénieurs, naturalistes, géographes, architectes, peintres, dessinateurs, hommes de lettres, linguistes et imprimeurs, sous la direction du mathématicien Monge et du chimiste Berthollet. Retenue par des vents contraires, la flotte finit par quitter Toulon le 19 mai 1798. Elle parvient à échapper au contre-amiral Nelson et prend Malte, l'une des clés de la Méditerranée, le 11 juin. Après avoir mis un terme à la domination des chevaliers hospitaliers de Saint-Jean-de-Jérusalem – le fameux ordre de Malte –, Bonaparte fait de l'île sa base arrière. Il reprend alors la mer et arrive le 1er juillet devant Alexandrie. Au terme d'une courte mais furieuse bataille contre l'armée des beys égyptiens, Bonaparte prend la ville, y laisse une garnison de quelques milliers d'hommes puis se dirige avec le gros de ses troupes vers Le Caire, à travers le désert de Damanhour, route la plus courte, mais aussi la plus difficile. La marche est épuisante et s'accomplit sous une chaleur de plomb, sans un point d'ombre ou d'eau. Plusieurs soldats meurent de chaleur, de fatigue, de soif ou d'épuisement. Certains se suicident. D'autres périssent lors d'escarmouches. Le 21 juillet à l'aube, Bonaparte arrive néanmoins devant les pyramides de Gizeh qui lui inspirent peut-être le célèbre : « Soldats, songez que du haut de ces pyramides, quarante siècles vous contemplent. » Non loin de là, il livre la bataille décisive face à la cavalerie des beys. La plupart de ces dix mille mamelouks ne survivent pas au tir précis des carrés d'infanterie français et les autres, dans l'anarchie de leur fuite, finissent par se noyer dans les eaux du Nil. Deux jours plus tard, Bonaparte entre au Caire.

Après avoir brisé l'autorité des beys, il se présente en protecteur de l'Islam. Il se dit « l'homme du destin, le digne enfant du Prophète, le favori d'Allah », se fait appeler le sultan El-Kebir, n'hésite pas à s'habiller à l'orientale et laisse même courir le bruit qu'il se fera bientôt mahométan. Sa volonté de compromis se manifeste aussi dans l'organisation administrative de la conquête, puisque les autorités indigènes sont maintenues et que des divans de notables assistent les officiers supérieurs placés à la tête des provinces. Bonaparte prévoit de réunir à l'automne un divan de l'ensemble du pays. Cependant, il entend aussi introduire le progrès en Égypte et y propager les lumières. Le 22 août, il fonde au Caire un Institut pour les sciences et les arts qui s'inspire de l'Institut de France et qui reçoit Monge pour président. Lors de la première séance, il y pose six questions qui soulignent ses préoccupations : « Quelles améliorations peut-on introduire dans les forces de l'armée ? Y a-t-il un moyen de remplacer le houblon dans la fabrication de la bière ? Quels sont les moyens de clarifier et de rafraîchir les eaux du Nil ? Est-il plus convenable de construire des moulins à eau ou à vent ? L'Égypte renferme-t-elle des ressources pour la fabrication de la poudre ? Quel est l'état de l'ordre judiciaire et de l'instruction en Turquie ? » De fait, il relance l'économie locale qui périclitait. Il fait construire des moulins et améliorer les fours à pain, crée une véritable industrie et reprend l'idée, venue de l'Antiquité, d'un canal entre le Nil et la mer Rouge. Des fouilles archéologiques sont entreprises à Thèbes, Louqsor et Karnak. La flore et la faune sont inventoriées et étudiées. La frange la plus éclairée de la population est séduite et s'initie même à la langue française dans les deux journaux que Bonaparte fait imprimer pour sa propagande : *Le Courrier de l'Égypte* et *La Décade égyptienne*.

Mais les difficultés ne tardent pas à s'accumuler. Le 1er août, Nelson détruit la flotte française en rade d'Aboukir et ce désastre qui coûte la vie à près de cinq mille cinq cents marins français rend Bonaparte prisonnier de sa conquête. Les paroles qu'il prononce alors (« Il faut bien quelques revers ; sans cela, nous deviendrions trop vite les maîtres du monde ») donnent d'autant moins le change que l'Empire ottoman déclare la guerre à la France le 1er septembre et en appelle bientôt à la guerre sainte contre l'occupant, qu'une flotte russo-turque reprend les îles Ioniennes et que Nelson assiège Malte. Choqués par les privilèges accordés aux marchands juifs et chrétiens et par la vente de vin dans leur ville, les Cairotes se soulèvent le 21 octobre et massacrent deux cent cinquante Français dont le général Dupuy et l'aide de camp préféré de Bonaparte, Sulkowski. La répression sanglante ramène provisoirement l'ordre, mais attise la haine d'une grande partie de la population.

Après avoir chargé Desaix de parachever la conquête du pays, Bonaparte se décide à partir pour la Syrie de façon à devancer une attaque du sultan qui le couperait de l'isthme de Suez et éventuellement à donner la main au sultan Tippoo Sahib qui vient de se soulever contre la domination anglaise en Inde. Peut-être caresse-t-il aussi le rêve de marcher dans les pas d'Alexandre le Grand et de conquérir l'Orient ? Il pénètre en Palestine et prend Jaffa, le 7 mars. C'est alors que la peste fait son apparition dans l'armée française. Après s'être promené au milieu des pestiférés et avoir touché les bubons de certains pour montrer à ses troupes valides que la contagion n'est pas à redouter, Bonaparte est bien décidé à poursuivre sa route. Il abandonne donc les malades sur place et fait passer par les armes les trois mille cinq cents hommes de la garnison qu'il a faits prisonniers. Faute d'avoir assez de soldats, il considère en effet qu'il ne peut ni les emmener, ni les laisser en vie au risque de les retrouver à nouveau contre lui. À n'en pas douter, il s'agit de l'une des pages les plus sombres de toute son épopée. Entré en Syrie, il arrive devant Saint-Jean-d'Acre, le 19 mars. Cependant, il bute contre des défenses remarquablement organisées par le commodore anglais Sidney Smith et par l'émigré français Phélippeaux, son ancien condisciple. Il repousse une armée turque de secours le 16 avril, au mont Thabor, mais se résout à ordonner la retraite mi-mai car le siège de Saint-Jean-d'Acre s'éternise. De retour à Jaffa, il fait empoisonner les pestiférés de façon à les « soustraire aux cruautés des Turcs ». Cette campagne de Syrie, qui lui coûte deux mille deux cents hommes dont la moitié ont été emportés par la maladie, est indéniablement son échec. Il n'en fait pas moins une rentrée triomphale au Caire, le 4 juin, puis écrase le 25 juillet une nouvelle armée turque débarquée à Aboukir grâce à la flotte anglaise. Cette victoire terrestre atténue quelque peu le souvenir de la déroute maritime de l'année précédente et de l'expédition de Syrie. Elle permet de préparer une solution de repli à laquelle Bonaparte songe depuis plusieurs semaines.

Il est en effet temps pour lui de rentrer à Paris. La situation de la France s'est dégradée et l'Égypte n'a plus rien à lui apporter. S'il tarde trop, l'Histoire pourrait s'écrire sans lui. Néanmoins, l'ordre que le directoire exécutif lui a envoyé en mai pour lui demander de revenir ne lui est jamais parvenu. Son retour a donc tout de l'abandon. Il le croit illégal. Après avoir cédé le commandement de son armée à Kléber et annoncé dans un ordre du jour à ses soldats que son absence sera de courte durée, il s'embarque le 23 août, à bord de la frégate la *Muiron*. L'accompagnent plusieurs de ses fidèles lieutenants comme Murat, Berthier, Lannes et Duroc, et quelques mamelouks dont Roustam. Échappant aux frégates anglaises, il débarque à Fréjus le 9 octobre 1799. Un mois plus tard, il a rendez-vous avec le pouvoir ou avec la mort.

Chapitre III

Prendre le pouvoir
(1799)

Le retour à Paris – L'entrée en politique – Le coup d'État

> « *Quand ma résolution est prise, tout est oublié,*
> *hors ce qui peut la faire réussir.* »
>
> Napoléon BONAPARTE, 1799.

C'est un pays en crise que Bonaparte retrouve à son retour d'Égypte. Une coalition, réunissant l'Angleterre, la Russie, la Turquie, Naples, l'Autriche et la Toscane, entend mettre un terme aux ambitions expansionnistes de la France et la ramener à ses frontières de 1792. Elle lui inflige des revers en Allemagne, en Hollande, en Italie et en Suisse et menace presque toutes ses frontières. La conjoncture politique n'est pas meilleure. La Constitution du Directoire ne comporte aucune disposition pour régler les conflits entre les pouvoirs exécutif et législatif. Elle prévoit de renouveler chaque année le cinquième du directoire et le tiers des Conseils. Il en résulte des déplacements de majorité et des coups d'État annuels. À l'instabilité politique répond une anarchie administrative qui ne permet plus d'entretenir les infrastructures et qui favorise le brigandage et la fraude. Les caisses de l'État sont vides, la déflation entraîne la ruine des paysans et le chômage provoque la misère des ouvriers qui contraste avec le luxe insolent des nouveaux riches, fournisseurs aux armées et spéculateurs en tout genre. Victorieux aux élections d'avril 1799, les néo-jacobins, héritiers de Robespierre, décrètent une loi des otages et un emprunt forcé sur les plus fortunés qui rappellent la Terreur, au grand effroi des milieux d'affaires, des propriétaires et des modérés. Les royalistes en profitent pour prendre les armes et menacer plusieurs villes de l'Ouest et du Midi.

En ces circonstances, l'opinion populaire oublie que le régime héritait d'une situation désastreuse, qu'il a lancé de grandes enquêtes, qu'il a pris des mesures courageuses pour restaurer les finances publiques et pour développer l'industrie et qu'il a mené une politique scolaire ambitieuse. Mal informée, elle ne sait pas que le péril extérieur vient d'être provisoirement écarté par la victoire de Masséna sur les Russes en Suisse et celle de Brune sur les Anglo-Russes en Hollande. Elle oscille entre désarroi, colère et lassitude. De son côté, la bourgeoisie conservatrice refuse de créditer le Directoire de ses réussites et ne voit que ses échecs. Elle aspire à son remplacement par un régime d'autorité qui lui permettrait de se maintenir au pouvoir tout en écartant les périls jacobin et royaliste et en garantissant les grands acquis de la Révolution.

Depuis les débuts de la Révolution, l'abbé Sieyès a en tête un projet d'institutions politiques qui va dans ce sens. Il n'est arrivé à obtenir son adoption ni en 1791, ni en 1795, mais il pense que l'heure est désormais venue. Il se fait élire directeur. Puisque la Constitution ne peut être révisée avant un délai de neuf ans, il lui faut renverser le régime, tout en conservant les apparences de la légalité et en évitant que le sang ne coule. Son plan est simple. Après avoir obtenu le transfert des Assemblées à Saint-Cloud sous la prétendue menace d'un complot néo-jacobin de façon à se prémunir contre le risque d'un soulèvement de la capitale, il démissionnera avec ses collègues du directoire exécutif. Placés devant le fait accompli, les députés seront alors contraints d'accepter le changement de régime. Un général – « un sabre », comme l'on dit alors – s'assurera du bon déroulement des opérations et, au besoin, intimidera les récalcitrants, mais il ne sera qu'un simple agent d'exécution et rentrera ensuite dans le rang. Sieyès songe d'abord à Joubert pour remplir ce rôle. Mais la mort de celui-ci à la bataille de Novi, le 15 août, le place dans l'embarras. C'est alors que la nouvelle du retour de Bonaparte lui parvient.

Bonaparte a écrit plus tard qu'« un homme n'est qu'un homme. Ses moyens ne sont rien si les circonstances et l'opinion ne les favorisent pas ». Or, son heure semble être venue en ce début du mois d'octobre 1799. Une habile propagande a fait de la victoire des Pyramides et de la deuxième bataille d'Aboukir des succès grandioses et de lui-même un héros. Il apparaît déjà à beaucoup comme le sauveur, l'ultime recours. De Fréjus à Paris, il reçoit un accueil triomphal des populations. Au passage, il prend la mesure de l'état de désorganisation de la France en se faisant dérober ses bagages, lors d'une étape.

Arrivé dans la capitale le 16 octobre, il y retrouve Joséphine. Après avoir songé à divorcer car elle ne répondait pas à ses lettres enfiévrées lors de la campagne d'Italie et le trompait avec le général Murat ou le capitaine Hippolyte Charles, puis après lui avoir rendu la pareille en Égypte avec Pauline Fourès, la femme de l'un de ses lieutenants, il finit par faire la paix avec elle. Il a peur du scandale et a besoin d'avoir l'esprit serein pour s'occuper des grandes affaires qui l'appellent. Il compte aussi sur la grâce et l'habileté de son épouse pour attirer à lui les indécis et circonvenir les jaloux. De fait, tous les partis viennent le solliciter. Sa maison de la rue de la Victoire ne désemplit pas. Les royalistes voient en cet enfant de la noblesse un possible restaurateur des Bourbons. Les néo-jacobins lui rappellent son passé robespierriste pour tenter de l'attirer dans leur camp. Les partisans du Directoire tablent sur le loyalisme du « général Vendémiaire ». Quant aux proches de Sieyès, ils ne sont pas les moins assidus ni les moins pressants.

Bonaparte est informé des projets du directeur par son frère Lucien, député du Conseil des Cinq-Cents, et bientôt président de cette Assemblée. Outre Lucien, Sieyès a réussi à convaincre Roger Ducos, son collègue du directoire exécutif, plusieurs ministres comme Fouché et Cambacérès, l'influent Talleyrand, une grande partie du Conseil des Anciens et une forte minorité des Cinq-Cents, l'élite intellectuelle des Idéologues, ces tenants de la philosophie des Lumières qui dominent l'Institut et les salons, ainsi que des banquiers et des fournisseurs aux armées irrités par les mesures prises par les néo-jacobins et décidés à financer l'opération. Une rencontre est finalement organisée entre le directeur et le général le 23 octobre. Les deux hommes ne parviennent tout d'abord pas à s'entendre, mais l'intérêt qu'ils ont à s'appuyer l'un sur l'autre, l'excellence du plan du premier et la popularité du second finissent par avoir raison de leurs réticences. Bonaparte reçoit même l'assurance d'obtenir une place au sein du nouveau pouvoir exécutif. Dès lors, les préparatifs vont bon train. Les membres du gouvernement qui demeurent favorables au régime sont endormis par des rapports de police rédigés par des partisans. Bonaparte s'assure du soutien ou au moins de la neutralité des généraux qui pourraient avoir des velléités de défendre le Directoire. Le 8 novembre, il dîne avec plusieurs conjurés chez Cambacérès. Malgré la qualité de la table de ce fin gastronome, le repas manque de gaieté. Chacun sait qu'il risque sa tête dans quelques heures. Le premier acte du coup d'État doit se dérouler le lendemain matin.

Le 18 brumaire an VIII (9 novembre 1799), le Conseil des Anciens qui a été convoqué d'urgence pour une séance exceptionnelle se réunit à sept heures du matin aux Tuileries. Cent cinquante de ses deux cent cinquante membres sont présents. Alors que les néo-jacobins ont été volontairement tenus à l'écart, tous ceux qui ne sont pas initiés au complot sont à la fois surpris et inquiets. Après avoir vaguement dénoncé des « brigands audacieux » et des « scélérats désespérés » qui s'apprêtent à frapper la République, les conjurés obtiennent le transfert à Saint-Cloud des deux Conseils où ils siégeront à compter du lendemain ainsi que la nomination de Bonaparte à la tête de la division militaire de Paris, de la Garde nationale et de toutes les forces chargées de protéger les députés. En milieu de matinée, le général vient prêter serment au Conseil des Anciens et le rassurer sur ses intentions : « Votre sagesse a rendu ce décret ; nos bras sauront l'exécuter. Nous voulons une République fondée sur la vraie liberté, sur la liberté civile, sur la représentation nationale ; nous l'aurons... je le jure ; je le jure en mon nom et en celui de mes compagnons d'armes. »

Peu après, Bonaparte s'en prend au secrétaire de Barras devant les troupes rassemblées dans le jardin des Tuileries : « Dans quel état j'ai laissé la France et dans quel état je l'ai retrouvée ! Je vous avais laissé la paix et je retrouve la guerre ! Je vous avais laissé des conquêtes et l'ennemi passe nos frontières ! J'ai laissé des arsenaux garnis et je n'ai pas retrouvé une arme ! J'ai laissé les millions de l'Italie et je retrouve partout des lois spoliatrices et de misère ! Nos canons ont été vendus, le vol a été érigé en système ! Les ressources de l'État épuisées ! On a eu recours à des moyens vexatoires, réprouvés par la justice et le bon sens ! On a livré le soldat sans défense ! » Ces paroles soigneusement pesées à l'avance visent à s'assurer l'appui définitif des soldats qui méprisent d'ailleurs le « gouvernement des avocats ». Elles signifient aussi la rupture de Bonaparte avec Barras, son ancien protecteur et l'homme clé du directoire exécutif. En effet, si Sieyès et Roger Ducos ont démissionné comme il était convenu, il importe qu'au moins un autre des cinq directeurs résigne également son mandat pour que le vide de l'exécutif soit effectif. Or, ni Gohier, ni le général Moulin, l'un et l'autre fervents républicains, n'entendent s'effacer. Ils sont donc consignés au palais du Luxembourg sous bonne garde et c'est de la décision du cinquième directeur, Barras, que dépend le sort du régime. Talleyrand est chargé d'obtenir sa démission, en lui offrant au besoin une forte somme d'argent. Mais l'homme qui a été le plus puissant de France pendant les quatre années qui viennent de s'écouler et que l'on surnomme « le roi du Directoire » voit de sa fenêtre les mouvements de troupes dans la capitale et juge toute résistance inutile. Il signe les papiers qui signifient sa retraite politique et part immédiatement pour sa terre de Seine-et-Marne.

Le plan des conjurés a donc parfaitement fonctionné. Pris de vitesse, le Conseil des Cinq-Cents où les néo-jacobins sont nombreux a dû s'incliner devant la décision des Anciens. Les Parisiens n'ont pas bougé. La police et l'armée sont bien tenues en main. En allant se coucher, Bonaparte manifeste sa satisfaction devant son secrétaire : « En somme, cela n'a pas été mal aujourd'hui. Bonsoir, Bourrienne ; nous verrons demain. »

C'est en fin de matinée, le 19 brumaire, que Bonaparte arrive à Saint-Cloud. Il y retrouve Murat et les six mille hommes que celui-ci a rassemblés. À l'approche de la partie décisive qu'il s'apprête à jouer, il se montre d'une extrême nervosité. Pendant ce temps, les députés s'installent peu à peu dans les deux ailes du palais qui ont été préparées à la hâte pour les recevoir : l'Orangerie pour les Cinq-Cents, le salon de Mars et la galerie d'Apollon pour les Anciens. À quatorze heures, ces derniers entrent en séance et apprennent la démission des directeurs. Plusieurs se plaignent de ne pas avoir été convoqués la veille, mettent en doute la réalité d'une menace jacobine, s'émeuvent de la présence massive de l'armée aux abords du palais et soupçonnent une manœuvre. La majorité devient hésitante. Elle ne se résout pas à notifier au Conseil des Cinq-

Cents la vacance du pouvoir exécutif, prélude indispensable à la désignation d'un gouvernement provisoire, sans avoir reçu des explications supplémentaires. Impatient, Bonaparte entre dans l'enceinte des débats et tente de brusquer les députés. N'ayant aucune expérience des assemblées parlementaires, il est rapidement embarrassé par les questions qu'on lui pose, perd son sang-froid et prononce une violente diatribe contre les Conseils qui désole ses partisans et irrite les autres députés. Voyant qu'il n'obtiendra rien dans l'immédiat, il finit par se retirer.

Malgré les conseils de prudence de son entourage, Bonaparte décide de se présenter devant les Cinq-Cents, présidés par son frère. Présente en nombre dans ce conseil, la gauche est parvenue à imposer que tous les députés renouvellent leur serment de fidélité à la Constitution par appel nominal à la tribune. Le général arrive alors que la procédure n'a pas encore commencé. Il est aussitôt accueilli par des cris d'hostilité : « Hors-la-loi ! À bas le dictateur ! » On le bouscule. Ses hommes ne le dégagent qu'avec difficulté. La gauche réclame sa mise en accusation, ce qui signifie son arrêt de mort. En déposant ses insignes de président et en quittant la salle, Lucien l'empêche de passer immédiatement à l'acte. Sans perdre de temps, il dénonce aux grenadiers chargés de la garde des assemblées une minorité de « représentants du poignard... soldés sans doute par l'Angleterre » qui ont voulu assassiner son frère. Il montre ce dernier hagard, pâle, suffoquant, ensanglanté à force de s'être violemment gratté le visage dans un accès de rage puis, dans un geste théâtral, il se saisit d'une épée et promet de l'en transpercer s'il se transforme en tyran. Convaincus, les grenadiers courent alors à l'Orangerie avec Murat et Leclerc à leur tête et en expulsent les députés au son du tambour. L'opération n'a pas pris plus de dix minutes. Il est dix-sept heures.

Dans la nuit, Lucien rassemble une centaine de parlementaires favorables au coup d'État et leur fait voter l'établissement d'une commission exécutive provisoire composée de Bonaparte, de Sieyès et de Roger Ducos, l'ajournement des deux conseils, leur épuration de soixante et un membres coupables « d'excès et d'attentats » et enfin la nomination de deux commissions chargées de préparer une nouvelle Constitution dans un délai de six semaines.

Paradoxalement, Bonaparte qui a failli tout faire échouer est le grand bénéficiaire de la journée. Son impatience et sa maladresse ont transformé ce qui devait être un coup d'État parlementaire en coup de force militaire. Le général a volé la vedette à Sieyès. De simple figurant, il est devenu l'acteur principal, même si c'est son frère, brillant second rôle, qui lui a sauvé la mise. Après s'être rapidement ressaisi, il adresse aux Français, le soir même, une proclamation dans laquelle il propose sa vision des faits qui devient la version officielle. Il n'est plus question de Sieyès, de Lucien ou de Murat, mais de lui seul. Il s'y présente tour à tour comme l'ennemi des luttes partisanes, le défenseur de la légalité et le sauveur de la République. Il est redevenu l'homme résolu qui sait forcer la chance. Installé bientôt au palais du Luxembourg où résidaient jusque-là les directeurs, il obtient de ses nouveaux collègues, Sieyès et Roger Ducos, la présidence de leur commission. Mais il ne s'agit là que d'une fonction honorifique et provisoire. Il ne lui faut point lâcher la proie pour l'ombre.

En effet, Sieyès espère imposer son projet de Constitution grâce aux deux commissions intermédiaires où ses amis sont majoritaires. Il a conçu un système représentatif qui donne la réalité du pouvoir à la bourgeoisie en écartant le peuple et qui ne tombe pas dans les excès du régime d'assemblée. À la tête de l'État, se trouverait un Grand Électeur nommé à vie qui se contenterait de désigner deux conseils, un pour les affaires intérieures et un autre pour les affaires extérieures, cependant qu'un collège des conservateurs aurait la faculté de choisir et de révoquer le Grand Électeur. Sieyès compte circonvenir Bonaparte en lui proposant la fonction. Mais celui-ci repousse dédaigneusement l'offre : « Et comment avez-vous imaginé qu'un homme de quelque talent et d'un peu d'honneur voulût se résigner au rôle d'un cochon à l'engrais de quelques millions ? » Il s'assure ainsi les faveurs populaires en passant pour un homme désintéressé et un vrai républicain. Puis, il convoque chez lui les commissaires chargés de rédiger la Constitution. Onze soirs de suite, son autorité, sa logique, la vivacité de son esprit, sa conviction et sa résistance physique font merveille et finissent par désarmer les plus réticents. Il infléchit le projet initial dans le sens qu'il souhaite, en conservant la formule maîtresse de Sieyès : « L'autorité vient d'en haut et la confiance d'en bas. » Un Premier consul recevra seul l'initiative des lois, le pouvoir de les faire appliquer, le droit de paix et de guerre, tout en bénéficiant de l'irresponsabilité de ses actes. En outre, il nommera les ministres, les conseillers d'État et presque tous les employés de la fonction publique. Deux autres consuls l'assisteront dans sa tâche, mais n'auront qu'une voix consultative. Pour la première fois depuis 1789, la France sera dotée de quatre Assemblées, ce qui restreindra le pouvoir de chacune. Un Conseil d'État rédigera les projets que lui soumettra le Premier consul, les règlements et les décisions du contentieux administratif. Un Tribunat discutera les projets de loi et un Corps législatif les votera, sans avoir ni l'un ni l'autre la faculté de les amender. Enfin un Sénat, dont les membres se recruteront par cooptation et seront inamovibles, nommera les consuls, les tribuns et les députés et pourra casser leurs actes comme inconstitutionnels. Les élus seront choisis sur des listes de notabilités réunissant les citoyens les plus riches.

Comme le Sénat n'existe pas encore, les commissions intermédiaires sont chargées de désigner pour la première fois les trois consuls. Avant le dépouillement du vote, Bonaparte jette les bulletins au feu et par une suprême habileté demande à Sieyès en « nouveau témoignage de reconnaissance » de choisir les trois hommes. Placé devant le fait accompli, celui-ci désigne Bonaparte pour le poste de Premier consul et les candidats de celui-ci, Cambacérès et Lebrun, pour les deux autres places. Le premier apporte ses compétences juridiques et sert de caution à gauche car il est régicide. Le second fournit ses lumières dans le domaine financier et fait contrepoids à droite car il a servi l'Ancien Régime. La Constitution de l'an VIII est promulguée trois jours plus tard, le 15 décembre 1799. Un bon mot circule alors : « Qu'y a-t-il dans la Constitution ? — Il y a Bonaparte. » Cependant, celui-ci tient à ce que le texte soit soumis à plébiscite. Il entend ainsi maintenir la fiction de la souveraineté populaire et du suffrage universel et instaurer un lien direct avec le peuple sans qu'interviennent les corps intermédiaires. Les « oui » l'emportent sur les « non » par 3 011 007 signatures contre 1 562. Il faut préciser que l'on vote à registres ouverts, et que le chiffre des « oui » a été grossi de près d'un tiers. En réalité, plus de la moitié des électeurs potentiels ne se sont pas déplacés. Le gouvernement fait la part belle aux hommes qui ont soutenu Bonaparte (Lucien à l'Intérieur, Fouché à la Police, Talleyrand aux Relations extérieures) et les Brumairiens peuplent les quatre assemblées (Sieyès reçoit la présidence du Sénat). Bonaparte se déclare cependant solidaire de tout ce qui s'est fait en France avant lui « de Clovis jusqu'au Comité de salut public », et n'entend fermer la porte à personne, répétant qu'il ne connaît lui-même aucun autre parti que celui de la France : « Ni bonnets rouges, ni talons rouges, je suis national. » Le glorieux général clôt la Révolution en la fixant « aux principes qui l'ont commencée ». Il prend la tête du régime qu'il vient de fonder : le Consulat.

Chapitre IV

Diriger la France
(1800 – 1804)

Le Consulat – La mise en place des masses de granit –
La marche vers le régime personnel

> *« Un gouvernement nouveau a besoin d'éblouir
> et d'étonner ; dès qu'il ne jette plus d'éclats,
> il tombe. »*

Napoléon BONAPARTE, 1800.

Le nouveau maître de la France a trente ans. Son physique ne retient guère l'attention. L'homme est menu, mesure 1,68 mètre (taille moyenne pour l'époque), et porte le cheveu plus court que jadis. En revanche, son regard fascine et l'animation de son expression frappe les contemporains. Installé officiellement au palais des Tuileries à partir de février 1800, il dirige plutôt la France de la Malmaison, la campagne située à l'ouest de la capitale que Joséphine a achetée pendant l'expédition d'Égypte et qu'il trouve plus gaie.

Dès 1800, Bonaparte est un homme d'État. Ses expériences italienne et égyptienne ainsi que les lendemains de Brumaire lui ont beaucoup appris. Sans s'encombrer de théories ni de préjugés, il érige le pragmatisme en règle : « Ma politique est de gouverner les hommes comme le plus grand nombre veut l'être ». Évoquant Rousseau, l'homme des Lumières qu'il portait jadis au pinacle, il déclare : « Il eût mieux valu pour le repos de la France que cet homme n'eût jamais existé. » Il fait désormais, plus que tout autre, de la politique l'art du possible. Doté d'une résistance physique et d'une puissance de travail phénoménales, il lui arrive de passer seize heures à son bureau. Il y reçoit en entretien particulier ses ministres qui ne forment pas de corps et sont rarement réunis en conseil, lit les multiples rapports qui lui sont adressés, signe des décrets et dicte à ses secrétaires des lettres innombrables qu'il se contente de signer, n'ayant pas lui-même d'orthographe et multipliant les italianismes. Il expédie ses repas comprenant souvent du poulet accommodé à toutes les sauces et du vin de Chambertin trempé d'eau en moins de dix minutes, n'assiste qu'au premier acte des spectacles, consacre une partie de son dimanche à des audiences et accorde rarement plus de six heures de sommeil, d'ailleurs fréquemment entrecoupé de séances de correspondance ou de lecture. « Le travail est mon élément, confiera-t-il ainsi par la suite [...]. J'ai connu les limites de mes jambes ; j'ai connu les limites de mes yeux ; je n'ai jamais pu connaître celles de mon travail. » Il est sans doute l'un des hommes qui ont le plus donné à l'esprit et le moins au corps, ce qui n'explique certes pas la grandeur de son œuvre, mais contribue indéniablement à son ampleur. Il entend ainsi examiner tous les dossiers, passe avec une grande aisance de l'un à l'autre, des aspects généraux aux points particuliers, et assimile vite. S'il sait souvent trouver lui-même les solutions aux problèmes les plus complexes, il a conscience de ses insuffisances, en particulier en matière financière et s'en remet alors à d'autres. Le militaire reparaît derrière le politique. Après avoir confronté les points de vue sans dévoiler ses propres batteries, ce qui lui permet le cas échéant de reculer sans s'humilier en cas d'erreur ou d'opposition trop forte, il passe à l'action, en profitant de l'effet de surprise. Il manœuvre les ministres, les parlementaires et les diplomates comme des soldats et privilégie la vitesse d'exécution.

Il s'appuie sur des collaborateurs qu'il a choisis, soit pour leur fidélité, soit pour leur compétence, et les place aux endroits où il les juge les plus aptes à le servir. En ce domaine, il se trompe rarement. Outre Cambacérès, deuxième personnage du régime, constamment consulté et appelé à remplacer le maître quand il s'éloigne de la capitale, ils ont noms Gaudin, Talleyrand, Fouché ou encore Berthier, les meilleurs de leur époque dans leurs spécialités respectives : les finances, la diplomatie, la police et l'armée. Bonaparte consulte aussi les esprits brillants si nombreux dans les Assemblées et dans les salons amis. Roederer, Denon, Monge ou Thibaudeau sont parmi les plus écoutés, à défaut d'être toujours entendus. Dans d'autres emplois (garde, missions confidentielles...), le Premier consul préfère recourir à des séides comme Duroc, Savary, ou Moncey. Il sait aussi compter sur sa famille, à l'exception de Lucien dont il se défait assez vite car il prend ombrage de son intelligence, de ce qu'il sait lui devoir depuis le 19 Brumaire et de certaines de ses initiatives. Il ne souffre guère la critique quand elle devient trop vive. Il se sépare ainsi des Idéologues, ses collègues de l'Institut qualifiés au passage de « vermines » et se brouille avec les plus grands écrivains du temps : Mme de Staël, Marie-Joseph Chénier et Chateaubriand qui, après lui avoir d'abord dédicacé le *Génie du christianisme*, passe à l'opposition.

En effet, Brumaire n'a pas éteint les divisions politiques. Les libéraux critiquent le tour autoritaire que le régime a rapidement pris, selon eux. Des généraux comme Moreau, Augereau, Jourdan ou Bernadotte, jalousent Bonaparte. Les néo-jacobins qui le qualifient de tyran ne désarment pas. Au cours de l'année 1800, ils tentent à plusieurs reprises de l'assassiner.

Quant aux royalistes qui travaillent à la restauration, ils pensent tout d'abord que Bonaparte peut en être l'instrument. Ne vient-il pas de mettre un terme aux guerres de l'Ouest en traitant avec les chouans puis de clore la liste des émigrés et de s'engager à rendre aux nobles et aux ecclésiastiques qui rentreront leurs biens non encore aliénés ? Le comte de Provence, frère cadet de Louis XVI qui se fait appeler Louis XVIII depuis la mort du Dauphin au Temple, en 1795, lui écrit en ce sens. Mais le Premier consul lui répond sans équivoque le 7 septembre 1800 : « Vous ne devez pas souhaiter votre retour en France ; il vous faudrait marcher sur cent mille cadavres. Sacrifiez votre intérêt au repos et au bonheur de la France ; l'histoire vous en tiendra compte. » Dès lors, les royalistes se mettent à leur tour à conspirer. Le 24 décembre 1800, alors que le Premier consul et son épouse se rendent à l'Opéra pour y entendre *La Création* de Haydn, une machine infernale dissimulée dans une charrette explose quelques instants seulement après leur passage, rue Saint-Nicaise. La violence de l'explosion fait de nombreuses victimes et des dégâts matériels considérables. Malgré l'intime conviction de Fouché, Bonaparte impute l'attentat aux « anarchistes » néo-jacobins, décide l'exécution ou la déportation de cent trente d'entre eux, se débarrassant ainsi provisoirement du péril de gauche. Grâce aux indices relevés sur place, la police ne tarde cependant pas à identifier des royalistes – cinq chouans – comme les vrais coupables. Deux d'entre eux sont finalement arrêtés et guillotinés, revêtus de la chemise rouge des parricides.

Pour désarmer définitivement ces oppositions et consolider son régime, Bonaparte sait qu'il doit mettre un terme à la guerre que la France livre à l'Europe depuis 1792. Dès son avènement, il a fait des ouvertures aux principaux belligérants. Mais ces derniers, certains de l'emporter, les ont rejetées. De fait, la situation est redevenue périlleuse en Allemagne et en Italie et les frontières de la France sont de nouveau menacées. Laissant à Moreau le premier théâtre d'opération, Bonaparte décide de son côté de retourner en personne sur le terrain de ses premiers grands exploits. Il débute sa seconde campagne d'Italie, à la mi-mai 1800, en franchissant les Alpes encore enneigées au col du Saint-Bernard, pour prendre les Autrichiens à revers. Cette manœuvre audacieuse est comparée par la presse aux ordres à l'exploit d'Hannibal dans l'Antiquité. Il termine la campagne un mois plus tard en remportant de justesse la bataille de Marengo. Après la victoire de Moreau à Hohenlinden, le 3 décembre suivant, les Autrichiens sont contraints d'accepter les conditions du Premier consul et de signer la paix de Lunéville du 9 février 1801. Ce traité en amène d'autres avec Naples, le Portugal, la Bavière et la Russie. Au terme de longues négociations, la France et l'Angleterre concluent la paix d'Amiens en mars 1802. Suivent des conventions secondaires avec les régences d'Alger et de Tunis, le Wurtemberg et l'Empire ottoman. La paix générale règne sur le continent pour la première fois depuis dix ans. L'opinion en crédite Bonaparte.

La France lui sait également gré de l'œuvre intérieure gigantesque qu'il est en train d'accomplir au cours de ce grand Consulat. Assisté de tous ceux qui réfléchissent à la question depuis des années, il réforme alors le pays de fond en comble par des dizaines de lois et de décrets. Il donne ainsi à la France une organisation administrative uniforme et hiérarchisée, une centralisation plus poussée et plus efficace que sous l'Ancien Régime. La loi du 28 pluviôse an VIII (17 février 1800) crée le corps préfectoral. Choisis par le Premier consul sur proposition de ses ministres, les préfets représentent l'État à l'échelon départemental. Ils veillent à l'ordre public, s'assurent de la rentrée des impôts et du bon déroulement de la conscription, et animent l'activité économique. Les autres agents de l'administration et les organes collégiaux (conseils municipaux, d'arrondissement et généraux) qui ne sont plus élus comme sous la Révolution, mais nommés, leur sont subordonnés.

Les mêmes principes président à la réorganisation judiciaire et policière. La loi du 27 ventôse an VIII (18 mars 1800) donne à chaque canton un juge de paix, à chaque arrondissement un tribunal civil de première instance et un tribunal correctionnel, à chaque département un tribunal criminel. Ces derniers sont coiffés par vingt-neuf cours d'appel dont le ressort correspond à peu près aux anciennes provinces et par un tribunal de cassation siégeant à Paris. Les magistrats redeviennent des professionnels choisis certes pour leur fidélité au pouvoir, mais aussi pour leur compétence. La gendarmerie créée sous la Révolution est restructurée sous les ordres de Moncey avec pour mission de veiller à la sécurité publique, en particulier dans les campagnes, et à l'application des règlements sur la conscription. La capitale, dont Bonaparte se méfie, reçoit un préfet de police, sans restreindre pour autant les attributions de la police générale, maintenue à Fouché. Sous l'impulsion de Gaudin et de Lavalette, les postes sont modernisées pendant que le cabinet noir, chargé de la censure, atteint un haut degré de perfectionnement. Quotidiennement, gendarmerie, polices et postes adressent à Bonaparte des bulletins qui le renseignent sur la délinquance, sur la criminalité et surtout sur l'état de l'opinion. Dans ce régime centralisé et policier, il n'est plus question de liberté d'expression. Les mouvements, les propos et la correspondance, mais également la presse, la librairie et les théâtres sont strictement contrôlés.

Sous l'œil vigilant de Bonaparte, l'économie et les finances sont consolidées par le ministre de l'Intérieur, Chaptal, le ministre des Finances, Gaudin, le directeur de la Caisse d'amortissement, Mollien, le directeur puis ministre du Trésor, Barbé-Marbois. La Banque de France est fondée le 13 février 1800 pour consentir des avances au Trésor, lui permettre de pourvoir aux dépenses immédiates dans l'attente des recettes et pour réescompter les effets de commerce. Trois ans plus tard, elle reçoit le monopole de l'émission des billets de banque. La loi du 28 mars 1803 crée une nouvelle monnaie, le franc germinal, dont la valeur fixée par rapport aux métaux précieux reste stable jusqu'en 1914. Des mesures sont prises pour remplir les caisses de l'État (réduction arbitraire des deux tiers de la dette, rationalisation de la perception des contributions, rétablissement des impôts indirects supprimés par la Révolution, mise en coupe réglée des pays occupés). Leur impopularité est compensée par le paiement à échéance et en numéraire des rentes et des pensions et surtout par l'efficacité avec laquelle le gouvernement résout les crises économiques et réduit le chômage. C'est ainsi que la crise de 1801 est rapidement jugulée par des mesures énergiques (réglementation de la boulangerie, achats massifs de grains à l'étranger, prêts sans intérêt aux manufactures). Des grands travaux sont lancés pour reconstruire et embellir la capitale et les villes de province dévastées pendant la Révolution, et pour améliorer les communications (mise en chantier de la route du Simplon et du canal de Saint-Quentin, travaux des ports de Cherbourg et de Lorient). Le Premier consul paie souvent de sa personne en se rendant sur place.

Dès son arrivée au pouvoir, Bonaparte entend également jeter quelques « masses de granit » dans les « grains de sable » épars du sol de France. En d'autres termes, il désire reconstruire la société française, ébranlée par la Révolution, autour des idées d'ordre, de hiérarchie et de cohésion. Si le régime n'est pas une dictature militaire et si Bonaparte affirme haut et fort que « les soldats eux-mêmes ne sont que les enfants des citoyens », la nation est réorganisée comme une armée. Au sommet de la société, se trouvent soixante-dix mille notables qui doivent l'essentiel de leur richesse à la propriété foncière et qui sont destinés à pourvoir aux fonctions publiques et aux postes électifs. Les lycées sont créés par la loi du 11 floréal an X (1er mai 1802) pour leurs enfants, futurs cadres du régime qui y reçoivent un enseignement secondaire reposant sur les humanités et les mathématiques, tout en étant soumis à une discipline militaire (port de l'uniforme, mouvements de tambour, arrêts...). À la base, le peuple des campagnes et des villes doit respect et obéissance à l'ordre établi (moralisation par l'instruction primaire, instauration du livret ouvrier) et fournit les gros bataillons de l'armée. Cependant, Bonaparte entend que l'élite ne soit pas aussi fermée que celle de l'Ancien

Régime et donne à chacun la possibilité, ou au moins l'espoir, d'y accéder : « Je veux que le fils d'un cultivateur puisse se dire : je serai un jour cardinal [...] ou ministre » (existence de bourses pour les élèves méritants, promotions de soldats sortis du rang quoique beaucoup moins nombreuses que sous la Révolution...). L'ordre de la Légion d'honneur institué par la loi du 29 floréal an X (19 mai 1802) est à la fois un instrument (un « hochet ») qu'utilise Bonaparte pour s'assurer des fidélités et une aristocratie du mérite visant à récompenser « les militaires qui ont rendu des services majeurs à l'État dans la guerre de la liberté ; les citoyens qui, par leur savoir, leurs talents, leurs vertus, ont contribué à établir ou à défendre les principes de la République, ou à faire aimer et respecter la justice ou l'administration publique ». Elle est censée assurer la cohésion sociale ; la religion, les lois et la grandeur nationale également.

Bonaparte ambitionne ainsi de se servir des religions, et particulièrement du catholicisme, pratiqué par 90 % des Français, pour contrôler les populations. « Une société sans religion est comme un vaisseau sans boussole », dit-il, ou encore : « Il n'y a que la religion qui puisse faire supporter aux hommes des inégalités de rang parce qu'elle console de tout. » Il espère aussi, en s'entendant avec Rome, ôter au royalisme l'un de ses principaux soutiens. Pour cela, il lui faut rétablir la paix religieuse après les tourments révolutionnaires (schismes divers après le vote de la Constitution civile du clergé, persécution des prêtres, création de religions de substitution) et soumettre les Églises à l'autorité de l'État. Une nouvelle fois, Bonaparte est décidé à se montrer pragmatique, comme il s'en explique en août 1800 : « C'est en me faisant catholique que j'ai fini la guerre de Vendée, en me faisant musulman que je me suis établi en Égypte, en me faisant ultramontain que j'ai gagné les esprits en Italie. Si je gouvernais un peuple de juifs, je rétablirais le temple de Salomon. » Après de longues négociations, il signe le Concordat avec le Saint-Siège, dans la nuit du 15 au 16 juillet 1801. Si le texte reconnaît que le catholicisme est la religion de « la grande majorité des Français », il n'en refait pas pour autant la religion d'État, comme sous l'Ancien Régime. Il proclame la liberté des cultes, abolit définitivement la dîme, garantit la vente des biens du clergé et propose une nouvelle carte des diocèses. À la demande du pape, sans précédente dans les annales de l'Église, le clergé compromis dans les luttes révolutionnaires est contraint de démissionner de plus ou moins bonne grâce et est remplacé par des ecclésiastiques nommés par le gouvernement qui jurent fidélité à la Constitution et qui promettent de n'entretenir « aucune ligue contraire à la tranquillité publique » et de dénoncer toute entreprise attentatoire à la sûreté de l'État. Bonaparte s'engage, en contrepartie, à verser un traitement convenable au clergé et rend au culte tous ses édifices. Il reste le grand gagnant de l'accord, et y joint bientôt les Articles organiques que le pape désapprouve, mais dont il ne peut empêcher l'application : soumission des bulles, actes conciliaires et tenue des assemblées ecclésiastiques à autorisation gouvernementale, obligation du mariage civil avant la cérémonie religieuse, enseignement dans les séminaires de la Déclaration gallicane de 1682, reconnaissance officielle du culte protestant et rétribution de ses pasteurs...

Bonaparte s'attache aussi à donner à la France un droit civil unifié et incontestable. Il charge donc son Conseil d'État d'élaborer un code et s'investit lui-même énormément dans les travaux. Il préside ainsi cinquante-cinq des cent six séances nécessaires et fait part de ses propres réflexions, en montrant au passage sa prodigieuse mémoire, puisqu'il cite des pages entières du *Digeste* de Justinien. Au final, le Code civil qui est promulgué le 21 mars 1804 comprend deux mille deux cent quatre-vingt-un articles et constitue le plus important monument juridique depuis le haut Moyen Âge. Il est un savant compromis entre le droit romain et le droit coutumier, entre l'Ancien Régime et la Révolution. S'y trouvent affirmés le pouvoir du mari sur la femme, celui du père sur les enfants et celui du patron sur ses ouvriers. Cependant, le Code confirme aussi tous les grands principes de la Déclaration des droits de l'homme et du citoyen de 1789 : liberté individuelle, égalité de tous les citoyens, suppression des privilèges, inviolabilité de la propriété, partage égal des successions... Bonaparte ne cesse dès lors de s'en enorgueillir (« Ma vraie gloire, ce n'est pas d'avoir gagné quarante batailles. [...] Ce que rien n'effacera, ce qui vivra éternellement, c'est mon Code civil... ») et l'impose bientôt à la plus grande partie de l'Europe sous domination française. Le texte rayonnera bien au-delà et s'inscrira dans la durée en raison de son excellence.

Néanmoins, les Chambres ont manifesté des réticences à l'égard de certains articles du Code mais aussi à l'égard du Concordat perçu comme un retour aux préjugés religieux et à la « superstition », ou encore à l'égard de la Légion d'honneur, dénoncée comme l'embryon d'une nouvelle aristocratie. Au printemps 1802, Bonaparte profite donc du renouvellement partiel des Chambres pour les épurer. Il reçoit alors d'elles « un gage éclatant de la reconnaissance nationale » : le Consulat à vie, ce qu'entérine la population par un plébiscite triomphal (3 653 600 « oui » contre 8 272 « non » et plus de 40 % de participation). Ce pas supplémentaire vers le pouvoir personnel s'assortit de nouveaux pouvoirs : droit de grâce, faculté de régler conjointement avec le Sénat « tout ce qui n'a pas été prévu par la Constitution et qui est nécessaire à sa marche », et possibilité de proposer son successeur. Pour se débarrasser de Bonaparte et de son régime, les opposants n'ont plus d'autre recours que la conspiration. L'opposition de gauche qui se concentre désormais dans l'armée (complot des pots de beurre) est rapidement éliminée par le placement en demi-solde ou l'éloignement de milliers d'officiers. Elle se limite rapidement au seul général Moreau. Privée des subsides anglais au lendemain de la paix d'Amiens, l'agitation royaliste reprend de plus belle lorsque celle-ci est rompue.

En effet, Bonaparte a très vite irrité les Britanniques. Le glacis de pays alliés ou vassaux qu'il a constitué autour de la France (Hollande, pays allemands et italiens où il est devenu président de la République italienne, anciennement Cisalpine et où il a annexé le Piémont, Confédération helvétique dont il est devenu le médiateur) les a inquiétés. Sa politique économique et coloniale l'a définitivement perdu dans leur esprit. Le Premier consul a ainsi entendu refaire de la France une grande puissance coloniale au prix du rétablissement de l'esclavage en mai 1802, de la vente de la Louisiane aux États-Unis fin avril-début mai 1803 (pour se concentrer sur les autres colonies), mais également de l'application stricte du pacte colonial permettant de prohiber les denrées coloniales britanniques. Par ailleurs, il a écouté les doléances des manufacturiers français à l'encontre de « la nation des boutiquiers », en refusant de renouveler le traité de commerce franco-anglais de 1786 et en maintenant la loi du 10 brumaire an V proscrivant tous les produits fabriqués étrangers. L'initiative de la rupture est néanmoins venue de l'Angleterre qui

refusait d'évacuer Malte comme la paix d'Amiens le lui impo-
sait et qui a déclaré la guerre à la France le 23 mai 1803, après
s'être assurée l'appui du tsar. Tout à l'euphorie des réussites
consulaires, Bonaparte n'a rien fait pour l'éviter. Amené par
la guerre à la politique, il a donc été ramené par la politique
à la guerre. Il fait occuper par ses troupes le Hanovre, possession de la couronne britannique, et prépare une descente
outre-Manche en concentrant sur les côtes douze cents
bateaux et cent cinquante mille hommes.

Dans l'attente de reconstituer une coalition contre la
France, l'Angleterre décide donc de soutenir les conspirations
royalistes. En août 1803, le chef chouan Georges Cadoudal
débarque secrètement en Normandie avec plusieurs de ses
amis dans le dessein d'assassiner le Premier consul ou au
moins de s'emparer de lui sur la route entre Paris et la Malmaison. En janvier 1804, il est rejoint dans la capitale par
Pichegru. Cependant, Moreau qui est approché refuse de se
joindre aux conspirateurs et l'affaire est finalement découverte par la police avant même d'avoir reçu un semblant d'exécution. Pichegru, Cadoudal et leurs principaux complices sont
arrêtés. Lors des interrogatoires, l'un des conjurés mentionne
qu'un Bourbon est derrière l'opération et projette de se rendre
en France pour y préparer la restauration. Une enquête
conclut à tort que ce prince est le duc d'Enghien, fils du prince
de Condé. Bonaparte ordonne qu'on l'enlève en pays de Bade,
tout près de la frontière, où il a eu l'imprudence de s'installer.
Conduit au fort de Vincennes, l'innocent y est fusillé le
21 mars, après un jugement sommaire. L'exécution fait peu
de bruit dans l'opinion mais elle est d'une importance capitale.
Bonaparte vient de donner un gage aux hommes de la Révolution. En faisant couler le sang d'un Bourbon comme jadis
les Conventionnels qui avaient voté la mort de Louis XVI, il
se pose en rempart contre une restauration royaliste. Parallèlement, la « conspiration de l'an XII » a montré, malgré son
échec, la fragilité d'un régime personnel qui ne bénéficie pas
de l'hérédité. Après la découverte de Pichegru, étranglé dans
sa cellule, et la condamnation de Moreau au bannissement,
les chouans condamnés à mort montent sur l'échafaud. On
prête à Cadoudal, sur le point de mourir, ce mot, sans doute
apocryphe, mais qui résume tout : « Nous avions voulu rendre
à la France un roi. Nous lui donnons un empereur. »

Chapitre V

Dominer l'Europe
(1804 – 1808)

L'Empire – Le sacre – Austerlitz et Iéna

> « *Je n'ai pas succédé à Louis XVI, mais à Charlemagne.* »

Napoléon BONAPARTE, 1804.

Ni Bonaparte ni son entourage ne semblent s'être préoccupés de changer la nature du régime avant le printemps 1804. Depuis l'instauration du Consulat à vie, le chef de l'État dispose en effet de la réalité du pouvoir monarchique tout en étant préservé de l'impopularité du terme. Il a la faculté de désigner son successeur, même s'il a éludé, jusque-là, la question : « Mon héritier naturel est le peuple français. » L'inquiétude surgie de la conspiration de l'an XII modifie la donne. Qu'adviendra-t-il si la République consulaire est privée de sa tête ? Pourquoi Bonaparte ne se choisirait-il pas un héritier au sein de sa propre famille ? L'hérédité découragerait les conspirateurs potentiels et achèverait de consolider le pouvoir. La mentalité française façonnée par mille ans de monarchie n'a pas été totalement changée par dix ans de Révolution. Certes, la royauté est impossible. Les révolutionnaires ont décrété que Louis XVI serait le dernier roi et ils ne peuvent se déjuger. Bonaparte reconnaît lui-même que « le nom de roi est usé », en raison des vieilles conceptions qu'il véhicule. En revanche, « le titre d'empereur est plus grand, il est un peu inexplicable et impressionne l'imagination ». Il vient d'une période alors en vogue : l'Antiquité. La grandeur de Rome ne résulte-t-elle pas, pour partie, du passage de la République à l'Empire et de la transformation d'Octave en Auguste ? Enfin, le terme « Empire » n'a, à l'époque, aucune connotation péjorative (il est le territoire où domine un peuple) et il est utilisé par tous, y compris les révolutionnaires les plus extrêmes. Si quelques proches de Bonaparte sont réticents à l'idée d'un passage à l'Empire (en particulier Joséphine qui craint que son mariage stérile ne soit menacé, malgré la possibilité de l'adoption), le principal intéressé est séduit. Tout est alors réglé très vite. Dans le respect des formes légales, la procédure débute au Tribunat où seul Carnot se montre hostile à la motion « tendant à ce que Napoléon Bonaparte, actuellement Premier consul, fût déclaré empereur des Français et à ce que la dignité impériale fût déclarée héréditaire dans sa famille ». Elle aboutit au Sénat qui proclame l'Empire, le 18 mai 1804. Bonaparte devient Napoléon Ier. Toutefois, il doit prêter serment « de maintenir l'intégrité du territoire de la République, de respecter et de faire respecter les lois du Concordat et la liberté des cultes... l'égalité des droits, la liberté politique et civile, l'irrévocabilité des ventes de biens nationaux... de gouverner dans la seule vue de l'intérêt, du bonheur et de la gloire du peuple français ». En outre, un plébiscite doit procurer au nouveau régime une forme de légitimité populaire. Organisé au cours de l'été, il ne porte pas sur le titre impérial mais sur l'hérédité organisée autour de la loi salique (dévolution de la couronne de mâle en mâle par ordre de primogéniture dans la descendance légitime et adoptive de Napoléon, puis de ses frères Joseph et Louis ; Jérôme, brouillé avec son frère, ne devenant dynaste qu'en 1806 et Lucien jamais). Il procure le résultat attendu, avec cependant des chiffres légèrement moins bons qu'en l'an X, malgré quelques gonflements gouvernementaux : 3 521 675 « oui », 2 579 « non », et près de 45 % d'abstention.

Déjà tout un appareil impérial s'est déployé. Le couple impérial est entouré de six grands dignitaires (un Grand Électeur, Joseph Bonaparte, un archichancelier de l'Empire, Cambacérès, un archichancelier d'État, Eugène de Beauharnais, un grand connétable, Louis Bonaparte, un architrésorier, Lebrun, un grand amiral, Murat, devenu le beau-frère du nouveau souverain par son mariage avec Caroline), de grands officiers de l'Empire, au premier rang desquels se trouvent seize maréchaux, pour la plupart anciens compagnons d'armes de Napoléon (Berthier, Murat, Masséna...), d'une Maison de l'Empereur et d'une autre de l'Impératrice avec chacune leurs officiers et leur personnel. La première grande cérémonie du règne se déroule le 15 juillet 1804. Napoléon reçoit le serment des membres de la Légion d'honneur et leur remet leurs décorations. Une héraldique est rapidement créée. Au coq, animal de basse-cour méprisé par l'Empereur, sont préférés l'abeille industrieuse qui permet de se rattacher aux Mérovingiens et plus encore l'aigle, symbole de puissance qui rappelle l'Empire romain et celui de Charlemagne.

Napoléon ne cesse d'ailleurs de se référer au restaurateur de l'Empire romain d'Occident, fondateur de l'Empire franc et protecteur de la chrétienté. Début septembre 1804, il entreprend le voyage d'Aix-la-Chapelle pour tremper sa légitimité dans celle de son prédécesseur. Il se recueille sur sa tombe présumée et se fait présenter ses reliques. En fait, il envisage lui aussi de frapper les esprits en étant sacré par le pape. Cependant, contrairement au déférent Charlemagne qui avait fait le voyage pour Rome, il décide que la cérémonie aura lieu dans sa propre capitale, en la cathédrale Notre-Dame de Paris. Pie VII accepte car il espère, en contrepartie, la suppression des Articles organiques. Il impose à Napoléon et à son épouse une bénédiction nuptiale lorsqu'il s'aperçoit qu'ils n'ont pas été mariés religieusement, mais n'obtient rien d'autre et se contente d'un rôle de figurant au cours de la cérémonie du sacre. En effet, le dimanche 2 décembre 1804, il voit l'Empereur placer lui-même sur sa tête la couronne d'or imitée de celle de Charlemagne, puis couronner Joséphine. Il doit ensuite s'éclipser pour ne pas paraître cautionner le serment à caractère révolutionnaire prêté par le nouveau souverain. Ce dernier tient désormais sa légitimité à la fois des armes, du peuple et du vicaire de Dieu. Il vient d'étaler sa puissance devant les Parisiens, les représentants étrangers et les principales personnalités du régime (à l'exception de Letizia, restée à Rome pour protester contre le sort réservé à Lucien et Jérôme, même si David la fera figurer sur le tableau « officiel » du sacre). Néanmoins, l'événement suscite des critiques audedans comme au-dehors. Les révolutionnaires et les royalistes jalousent l'insolente réussite de ce parvenu qui a glissé fièrement à l'oreille de son frère Joseph, au cours de la cérémonie : « Si notre père nous voyait... » En l'interprétant différemment, les catholiques comme les anticléricaux n'apprécient pas le rôle joué par le pape. Les Parisiens, toujours frondeurs, raillent le faste par l'anagramme : « Napoléon, empereur des Français »,

« Ce fol empire ne durera pas son an ». Quant à Ludwig van Beethoven, il renonce à dédicacer sa symphonie Héroïque au citoyen Bonaparte pour l'adresser « à la mémoire d'un grand homme disparu ».

Le passage à l'Empire inquiète toute l'Europe et particulièrement l'empereur du Saint Empire romain germanique, François II. En prétendant s'inscrire dans la filiation de Charlemagne, Napoléon n'aspire-t-il pas à prendre sa place, voire à dominer tout l'Occident ? La distribution des Aigles au Champ-de-Mars, trois jours après le sacre, semble annoncer ses intentions belliqueuses. Le 26 mai 1805, Napoléon devient roi d'Italie en ceignant la couronne de fer des rois lombards comme Charlemagne avant lui et en prononçant le cri traditionnel : « Dieu me l'a donnée ! Malheur à qui la touchera ! » qui résonne à travers l'Europe comme un avertissement. Quelques semaines plus tard, il annexe la république Ligurienne à la France et transforme celle de Lucques en principauté pour sa sœur Élisa. L'Autriche décide alors de rejoindre l'Angleterre, la Russie, la Suède et Naples dans une nouvelle coalition contre la France. Napoléon s'apprête à livrer dix ans de combats presque ininterrompus. S'il porte une grande part de responsabilité en la matière et si la période napoléonienne constitue l'un des paroxysmes guerriers de l'Europe, il ne faut pas oublier que le continent s'est déchiré avant et qu'il continuera de le faire après. En outre, l'empereur des Français cherchera parfois à éviter l'affrontement ou s'arrêtera dans son élan alors qu'il aurait pu pousser son avantage plus avant. Les ambitions des autres puissances doivent également être prises en compte. Il n'en demeure pas moins que Napoléon voit souvent dans la guerre le meilleur moyen d'imposer ses conceptions puisqu'il dispose, pour l'emporter, des deux meilleurs atouts : la Grande Armée et son propre génie.

La Grande Armée, née au camp de Boulogne, en vue de l'invasion de la Grande-Bretagne, souffre des mêmes déficiences que la plupart des armées contemporaines. Elle est mal équipée (uniformes distribués souvent en cours de campagne, voire absents). Son matériel est ancien, même s'il a fait ses preuves (le fusil et le canon datent des années 1770), car Napoléon, tout artilleur de formation qu'il est, se méfie parfois des innovations (refus du fusil qui se charge par la culasse ou de l'application de la vapeur à la navigation, dissolution du corps des aérostats). Son ravitaillement est déficient et le restera, malgré la création du poste d'intendant général en 1806 et du train des équipages en 1807, ce qui oblige le soldat à vivre sur le pays. La faiblesse de son service de santé explique que la plupart des blessés (de deux à cinq fois plus nombreux que les morts) finissent par succomber. Néanmoins, la Grande Armée a la chance d'être fille de la conscription. Mise en place en 1798 par la loi Jourdan, celle-ci impose le service militaire obligatoire pour les hommes de vingt à vingt-cinq ans, non sans de nombreuses exemptions ou possibilités de se faire remplacer (appartenance au clergé, mariage, déficiences physiques, tirage au sort d'un bon numéro, paiement d'un remplaçant). Si la fraude, l'insoumission et la corruption soustraient de plus en plus d'hommes au service entre 1800 et 1815, la conscription permet de mobiliser 5,77 % de la population totale sur la période. Cette proportion, inférieure à celle de la Révolution et plus encore à celle de la Première Guerre mondiale (20 %), donne longtemps à la France, pays le plus peuplé d'Europe en dehors de la Russie et en voie d'agrandissement par la conquête, la possibilité de livrer une guerre de masse à de vastes coalitions. La force de la Grande Armée provient aussi du détail des hommes qui la composent : un remarquable état-major dirigé par Berthier, des chefs talentueux (Davout, Lannes) ou intrépides (Murat, Ney), des soldats bons marcheurs (Napoléon reconnaît lui-même qu'il a gagné nombre de batailles grâce à leurs jambes), ayant du moral et du courage (ou s'en donnant grâce à l'eau-de-vie) et d'une fidélité sans bornes à l'égard de leur Empereur, surnommé affectueusement le « petit tondu ». Car la Grande Armée ne serait rien sans le génie multiforme qui l'a conçue et qui la commande en personne, celui que son contemporain, le général prussien Clausewitz, expert en art militaire, surnomme le « dieu de la Guerre ». Napoléon innove en créant le corps d'armée, regroupement de deux ou trois divisions d'infanterie, d'une brigade de cavalerie légère, de quelques pièces d'artillerie, du génie et des services pouvant, selon les besoins, fonctionner de façon autonome ou se fondre dans un tout et parfaitement adapté à la guerre qu'il entend mener. S'il néglige les fortifications (ce qui lui sera fatal en 1814) et la guerre de siège, mais moins qu'on l'a prétendu (Ulm, Dantzig...), c'est parce qu'il privilégie le mouvement, tant dans les grands déplacements que sur le champ de bataille. Là, sur le terrain qu'il a généralement choisi, il apprécie mieux que nul autre le point faible du dispositif ennemi, puis lance contre lui le gros de ses propres forces. Les réserves auxquelles il attache une grande importance peuvent alors jouer un rôle décisif, en particulier la Garde impériale, corps d'élite qui finit par compter quatre-vingt-dix mille hommes. Courageux (« La mort n'est rien, déclare-t-il en 1804, mais vivre vaincu et sans gloire, c'est mourir tous les jours »), il est encore souvent en première ligne et conduit parfois lui-même l'assaut. Si on lui reproche de ne pas avoir de cœur et de mépriser la vie humaine en envoyant des milliers d'hommes à la mort (il aurait déclaré à la vue d'un champ de bataille jonché de cadavres : « Une nuit de Paris réparera tout »), il partage volontiers le maigre repas de ses soldats, est ému aux larmes après plusieurs batailles et pleure certains de ses compagnons d'armes morts à ses côtés (Desaix, Duroc).

Pour l'heure, Napoléon qui ne peut plus débarquer en Grande-Bretagne (la flotte franco-espagnole devant le lui permettre s'est fait enfermer dans la rade de Cadix par Nelson et est bientôt anéantie au cap Trafalgar) décide de lever le camp de Boulogne et de marcher sur l'Allemagne à la tête de sa Grande Armée. Le 20 octobre 1805, la meilleure armée autrichienne qui s'est laissé envelopper à Ulm est contrainte de capituler. Au lendemain d'un bref séjour à Vienne, Napoléon choisit la date et le lieu de l'affrontement décisif : la plaine de Moravie et le jour du premier anniversaire du sacre. À Austerlitz, le 2 décembre 1805, il écrase avec soixante mille hommes autant de Russes et vingt mille Autrichiens, après avoir feint la retraite et attiré l'ennemi dans son piège. Au terme de cette « bataille des trois empereurs » qui a duré neuf heures et qui constitue son chef-d'œuvre absolu, il adresse à ses soldats une proclamation dont les derniers mots sont restés célèbres : « Il vous suffira de dire : J'étais à la bataille d'Austerlitz pour qu'on vous réponde : Voilà un brave ! » L'Autriche doit quitter la coalition et signer le traité de Presbourg du 26 décembre, qui l'exclut d'Allemagne et d'Italie, au profit de la France et de ses alliés. Une alliance perpétuelle est conclue entre la France, le Bade, le Wurtemberg et la Bavière. La Prusse, impressionnée, entre dans le camp français. En Angleterre, des partisans de la paix succèdent au pouvoir au francophobe William Pitt qui vient de mourir. Tout semble sourire à l'empereur des Français.

Bien qu'il ne passe en moyenne que trois mois par an dans sa capitale, ce qui le distingue des rois, ses prédécesseurs, et, en particulier, du sédentaire Louis XVI, Napoléon ne se désintéresse pas pour autant de la France. « Je n'ai qu'une passion, qu'une maîtresse : c'est la France ! dit-il en 1804. Je couche avec elle... je jure que je ne fais rien que pour la France. » Il fait preuve en la matière d'une énergie débordante. Réveillé à sept heures, il se fait lire les journaux ainsi que les rapports de police et s'entretient avec les familiers comme le premier valet de chambre, Constant Véry, qui lui rapporte les commérages de la ville. La matinée se poursuit généralement par la lecture et la rédaction du courrier avec son secrétaire particulier (Méneval puis Fain), puis par une longue séance de travail. Le déjeuner est souvent pris en compagnie de l'acteur Talma, des peintres David et Isabey, du directeur général des Musées Denon ou de l'architecte Fontaine. L'après-midi est consacré aux conseils privés, aux Conseils des ministres ou, plus souvent, aux conseils d'administration sur un sujet unique, avec des collaborateurs qui changent rarement. De 1804 à 1814, l'Empereur ne s'entoure que de vingt-deux ministres dont neuf lui viennent du Consulat. Il continue de présider régulièrement les séances du Conseil d'État, rouage essentiel du processus législatif et pourvoyeur de nouveaux talents qui demeure, tout au long de son règne, son enfant chéri. Il s'y montre actif, en prenant fréquemment part à des discussions qu'il souhaite pleines, entières et libres. Il lui arrive aussi de se promener dans Paris ou, quand il est dans ses palais de Fontainebleau, Compiègne ou Rambouillet, d'aller chasser dans la forêt voisine pour s'entretenir physiquement. Après un dîner généralement rapide et un moment de détente au salon, en compagnie de Joséphine et d'intimes, Napoléon retourne travailler. Il s'endort vers minuit sous la protection de son mamelouk Roustan, ramené d'Égypte et qui couche contre sa porte. Il se réveille souvent entre trois et cinq heures pour revenir sur une affaire importante et prendre un bain chaud.

Napoléon tient à sa réputation d'organisateur qui lui vaut d'être comparé à Charlemagne. L'œuvre du Consulat est poursuivie, voire amplifiée. Au Code civil rebaptisé Code Napoléon en 1806 s'ajoutent le Code de procédure la même année et le Code de commerce en 1807. Dans le domaine financier, la

Cour des comptes est créée en 1807. Après avoir réorganisé les cultes catholique et protestant, Napoléon s'occupe du culte judaïque, en réunissant un Grand Sanhédrin, le premier depuis l'Antiquité, puis en créant, par deux décrets de 1808, les consistoires. Avec ses architectes et ses ingénieurs, il transforme Paris pour en faire la plus belle ville du monde : construction de fontaines (Châtelet, rue de Sèvres), de canaux (Ourcq), de quais (Montebello, Catinat), de ponts (Austerlitz, Iéna) et de voies (rue de Rivoli, rue des Pyramides), édification de palais (Bourse), réaménagement d'édifices publics (Louvre, Palais-Bourbon).

À cette occasion, un art triomphal inspiré des empereurs romains voit le jour (arcs du Carrousel et de l'Étoile, colonne Vendôme). Il participe d'une propagande que Napoléon utilise remarquablement. Il se compose le personnage de l'homme au petit chapeau, à l'uniforme de colonel de chasseurs ou à la redingote grise, à la main dans le gilet. Les artistes peintres sont mobilisés tels David, Gros, Girodet ou Ingres qui expose au Salon de 1806 un tableau où Napoléon est représenté sur le trône impérial, dans la posture de Charlemagne avec le sceptre surmonté d'une statue de l'empereur d'Occident. Le souverain évoque sans cesse son « illustre prédécesseur » et encourage la publication d'ouvrages faisant le parallèle entre son œuvre et la sienne. La presse, les bulletins de l'armée, l'imagerie populaire, les prônes des curés l'encensent. Un véritable culte commence à lui être rendu avec la création, à la faveur de la suppression du calendrier révolutionnaire et du retour du calendrier grégorien, le 1er janvier 1806, d'une liturgie. La Saint-Napoléon, le 15 août, et l'anniversaire du sacre, le 2 décembre, en sont les deux temps forts ; la mise en circulation, en avril 1806, du catéchisme impérial invite à prier Dieu et son lieutenant sur terre, Napoléon.

Le système européen que l'Empereur a commencé à édifier en 1805 se développe en 1806. Napoléon conclut de nouvelles alliances et renforce son emprise sur les États vassaux, en se servant de sa famille. À son beau-fils, Eugène, devenu vice-roi d'Italie puis son fils adoptif, il fait épouser la fille du roi de Bavière. À la cousine de Joséphine, Stéphanie de Beauharnais, également adoptée, il donne l'héritier de Bade. En outre, il distribue les trônes à ses frères et sœurs. Après Élisa qui a reçu les principautés de Lucques et de Piombino, Joseph se voit attribuer la couronne de Naples, Murat et Caroline, les duchés de Clèves et de Berg et Louis, le royaume de Hollande. Si ces napoléonides sont parfois insuffisants, l'Empereur leur envoie rapidement de bons administrateurs et les incite à adopter une Constitution et le Code Napoléon. « Les Romains donnaient leurs lois à leurs alliés, dit-il ; pourquoi la France ne ferait-elle pas adopter les siennes ? » Par ailleurs, en juillet, seize principautés allemandes entrent dans une Confédération du Rhin dont Napoléon devient le protecteur. Après plus de huit siècles d'existence, le Saint Empire romain germanique prend fin.

L'Autriche n'a provisoirement plus les moyens de s'opposer aux desseins français et François II est contraint de déposer sa couronne d'empereur allemand pour devenir plus modestement François Ier, empereur d'Autriche. Assurée du soutien de l'Angleterre et de la Russie, la Prusse la relaie. Elle somme Napoléon, le 1er octobre 1806, de ramener ses troupes en deçà du Rhin. Au terme d'une marche éclair, l'empereur des Français aidé du maréchal Davout l'écrase, moins de quinze jours plus tard, à Iéna et à Auerstedt. De Berlin où il entre le 27 octobre, il la rançonne et lui donne provisoirement une administration française. Cependant, elle se refuse à traiter puisque certaines de ses places fortes continuent de résister et que les Russes commencent à se mettre en mouvement. Si le combat d'Eylau, livré dans une tempête de neige, le 8 février 1807, est une véritable boucherie (vingt-huit mille hommes hors de combat du côté russe et dix-huit mille du côté français) sans réel vainqueur, Napoléon finit par obtenir la victoire après la capitulation des Prussiens à Dantzig, le 24 mars 1807, et son succès à Friedland sur les Russes, le 14 juin suivant.

Le 25 juin, il rencontre le tsar Alexandre Ier, sur un radeau au milieu du Niémen, à Tilsit. Les deux hommes s'accordent sur l'idée d'un partage d'influence en Europe. Contre la liberté d'attaquer la Suède pour lui prendre la Finlande et la promesse d'un prochain démembrement de l'Empire ottoman à son profit, le tsar accepte de quitter la coalition contre la France et de se retourner contre l'Angleterre. Abandonnée, la Prusse est contrainte de traiter avec Napoléon. Elle perd toutes ses provinces à l'ouest de l'Elbe qui forment le royaume de Westphalie. Cette marche française sur la rive droite du Rhin entre dans la Confédération du Rhin et reçoit pour souverain le benjamin des Bonaparte, Jérôme. En outre, les provinces polonaises de la Prusse constituent un grand-duché de Varsovie, confié au roi de Saxe, allié de la France. De retour à Saint-Cloud, fin juillet 1807, après dix mois d'absence, Napoléon peut se concentrer sur son dernier ennemi, le pire aussi puisque, depuis 1792, il est de toutes les coalitions contre la République : l'Angleterre.

N'ayant plus de flotte pour l'envahir, depuis Trafalgar, Napoléon a décidé de suivre l'avis des meilleurs spécialistes et de ruiner son commerce sur lequel repose sa puissance, mais qui est également son talon d'Achille puisqu'elle vit à crédit et dépend de ses exportations. Répondant aux Ordres du conseil britannique qui s'en prennent aux colonies de la France et de ses alliés et aux navires qui commercent avec l'Empire, Napoléon signe les décrets de Berlin du 21 novembre 1806 et de Milan du 23 novembre 1807 et du 17 décembre suivant, actes fondateurs du Blocus continental. Tout commerce avec les îles Britanniques est désormais interdit. Tout produit et tout navire qui en proviennent ou qui y ont transité sont déclarés de bonne prise. Ce Blocus doit permettre de « conquérir la mer par la puissance de la terre », mais ne peut réussir que si tous les ports du continent l'appliquent. En 1807, Napoléon fait occuper le littoral pontifical et le littoral toscan. À Tilsit, il obtient l'adhésion au Blocus de la Russie et, après le bombardement de Copenhague par les Anglais, celles du Danemark et de l'Autriche. Sommés d'y participer, le Portugal et la Suède, alliés de l'Angleterre, refusent d'obtempérer. Le premier est envahi en novembre par une armée française et la famille régnante est contrainte de se réfugier au Brésil. La seconde est vaincue par la Russie et doit lui abandonner la Finlande. Au début de l'année 1808, quasiment toute l'Europe applique le Blocus décrété par Napoléon.

Pour que son armée puisse entrer au Portugal, Napoléon s'était entendu sur un partage du petit État avec les Espagnols, alliés des Français depuis le Directoire. Cependant, comme la plupart de ses contemporains, l'Empereur méprise le royaume espagnol, alors en pleine décadence. Son roi, le Bourbon Charles IV, est un médiocre, totalement sous l'emprise de sa femme et de l'amant de cette dernière, le ministre Godoy, et son propre fils, Ferdinand, tout aussi dégénéré que lui, n'a d'autre ambition que de prendre sa place. Le 17 mars 1808, une révolte populaire renverse le roi au profit de l'infant.

Napoléon décide de saisir ce prétexte et de profiter de la présence sur place d'une armée française pour s'assurer le contrôle du pays. Il convoque l'ancien et le nouveau roi à Bayonne et fait réprimer dans le sang le soulèvement du peuple de Madrid qui pressent un guet-apens. Il obtient ensuite une double abdication et donne la couronne à son frère Joseph que Murat va remplacer à Naples.

Au moment où le roi Joseph entre à Madrid, le 7 juin 1808, la puissance de Napoléon atteint un degré inouï et rien ne semble devoir l'arrêter. L'Empereur vient pourtant d'accomplir ses deux premières fautes majeures. En instaurant le Blocus dans toute sa rigueur et en s'en prenant à un allié au mépris des idéaux défendus par la Révolution, il risque de dresser contre lui, non plus seulement les souverains, mais aussi les peuples.

Chapitre VI

Se survivre
(1808 – 1814)

La guerre d'Espagne – Wagram – Les campagnes de Russie,
d'Allemagne et de France – L'abdication

> « *Les nations, comme l'histoire, ne tiennent*
> *guère compte que des succès.* »
>
> Napoléon BONAPARTE, 1812.

En Espagne, seuls quelques libéraux, les *afrancesados*, sou-
tiennent l'occupation française, car ils y voient une chance de
moderniser leur pays. En quelques jours, toutes les provinces
se soulèvent. Le peuple en guenilles, fanatisé par ses prêtres
qui font de Napoléon l'Antéchrist, se joint aux troupes régu-
lières, quasiment toutes mutinées. Dès le 22 juillet 1809, le
général Dupont et son armée capitulent au défilé de Bailén,
en Andalousie. Ce premier grand revers de Napoléon depuis
Trafalgar a pour conséquence immédiate d'obliger Joseph à
quitter sa capitale, le 30. Un mois plus tard, jour pour jour,
l'armée française du Portugal, vaincue par les Anglo-Portu-
gais, est à son tour contrainte de se rendre. Napoléon se résout
alors à conduire sa Grande Armée dans la péninsule Ibérique
pour y rétablir la situation. Le 4 décembre, Madrid capitule
et l'Empereur y réinstalle bientôt son frère. Cependant, des
affaires graves le rappellent déjà en France. Contrairement à
Joseph, Napoléon ne prend pas la mesure de la situation espa-
gnole. Il croit que le nombre viendra à bout des coups de main
de la guérilla. Il envoie sur place jusqu'à quatre cent mille
hommes sous ses meilleurs maréchaux (Soult, Masséna, Ney),
mais sans jamais y revenir lui-même. L'Espagne devient ainsi
une blessure au flanc de l'Empire. Elle révèle au monde que

Napoléon n'est pas invincible, incite d'autres peuples à se soulever et offre aux Anglais, déjà présents sur place avec une armée, un espace par où contourner le Blocus et menacer la France.

Ce sont les armements de l'Autriche et les intrigues de Talleyrand qui ont précipité le retour de Napoléon. Hostile à la politique d'expansion, plein de rancœur à l'égard de l'Empereur qui lui a retiré son ministère des Relations extérieures dès août 1807 et pressentant que l'affaire d'Espagne n'est que le prélude d'une catastrophe bien plus grande, le diplomate a conseillé au tsar et à l'empereur d'Autriche de résister aux prétentions napoléoniennes. Début avril 1809, François Ier déclare la guerre à Paris. Mais Napoléon frappe une nouvelle fois comme la foudre. Victorieux à Eckmühl et à Ratisbonne où il reçoit une balle dans le pied, il entre dans Vienne le 10 mai. Après l'échec d'Essling où meurt Lannes, il remporte, le 6 juillet, la grande mais difficile victoire de Wagram, au terme de trois jours d'affrontements et sous un déluge de feu tel qu'aucune bataille n'en a connu jusque-là. L'Autriche signe un armistice immédiat puis l'humiliante paix de Vienne du 14 octobre qui l'oblige à céder la Galicie au grand-duché de Varsovie, Salzbourg à la Bavière et toutes ses provinces de l'Adriatique à la France. Deux jours plus tôt, un étudiant nommé Friedrich Staps a tenté de poignarder Napoléon, lors d'une parade militaire au palais de Schönbrunn. L'incident témoigne de la fièvre patriotique qui s'est emparée de toute l'Allemagne et revêt de multiples formes, depuis les discours prononcés par le philosophe Fichte à l'Académie de Berlin jusqu'au soulèvement mené par l'aubergiste Andreas Hofer dans le Tyrol. Alors que la guerre est en train de perdre, pour les Français, le caractère national qu'elle avait depuis 1792, elle commence à le prendre chez d'autres peuples.

Parallèlement, le Blocus condamne Napoléon à une fuite en avant. Après avoir fait occuper Rome dès février 1808 parce que le pape rechignait à l'appliquer, l'Empereur annexe les États pontificaux en mai 1809. Pie VII refuse d'investir canoniquement les évêques nommés par Napoléon puis fulmine une bulle d'excommunication contre le souverain. Enlevé dans la nuit du 5 au 6 juillet 1809, il est placé en résidence surveillée, d'abord à Savone, puis à Fontainebleau. Si le Blocus entraîne une grave crise économique et des troubles sociaux importants en Grande-Bretagne, il ne fait pas plier Londres qui parvient à se tourner vers de nouveaux marchés, en particulier en Amérique latine. En revanche, il suscite la colère des populations continentales en proie aux privations et choquées que Napoléon autorise, par le régime des licences, les propriétaires fonciers et les industriels français, et uniquement eux, à écouler leurs excédents et à s'approvisionner en produits qui leur manquent outre-Manche. La contrebande se développe. À son frère Louis qui explique que son royaume de Hollande risque d'être ruiné par la rigueur du système, l'Empereur réplique qu'il reste français et doit raisonner comme tel. Lui-même affirme : « Mon principe : la France avant tout. Si j'ai conquis des royaumes, c'est pour que la France en retire des avantages. » Il affiche de plus en plus de mépris pour les pays sous sa domination (« Mes peuples d'Italie me connaissent assez pour ne devoir point oublier que j'en sais plus dans mon petit doigt qu'ils n'en savent dans toutes leurs têtes réunies »). En juillet 1810, il annexe la Hollande. Suivent jusqu'au début de l'année 1812 le Valais, les villes hanséatiques, une partie du duché de Berg, plusieurs États de la Confédération du Rhin et la Catalogne. À cette époque, l'Empire atteint sa plus grande étendue. Il couvre cent trente départements de Hambourg à Barcelone et d'Amsterdam à Rome, pour une population de près de quarante-cinq millions d'habitants. Loin d'être un signe de bonne santé, cette dilatation montre que Napoléon est en train de perdre le sens des réalités et le contrôle de son système.

L'homme a beaucoup changé tant physiquement que moralement. L'Empereur ventripotent au visage plein et aux allures dominatrices fait maintenant douter qu'un jour a pu exister en lui un jeune général de la Révolution efflanqué au regard tourmenté. Avec l'âge et le pouvoir, il a perdu de sa finesse d'analyse et a changé de préoccupations. Convaincu qu'il n'est pas de pouvoir monarchique durable sans aristocratie (« C'est le vrai, le seul soutien d'une monarchie, son modérateur, son levier, son gouvernail, un vrai ballon dans l'air »), il tente de forger cette dernière en fusionnant la bourgeoisie révolutionnaire et la noblesse d'Ancien Régime. Après la création de la Légion d'honneur, la constitution des sénatoreries pour permettre aux sénateurs de remplir dignement leur fonction, la distribution de couronnes et de fiefs à l'étranger à des membres de sa famille et à des dignitaires du régime (Berthier, prince de Neufchâtel et de Vallengin...), il rétablit, par le décret du 1er mars 1808, les anciennes dénominations nobiliaires, à l'exception de celles de marquis et de vicomte. La noblesse ainsi créée fait une place au talent. Elle n'entraîne ni exonération d'impôt, ni privilège, ni affranchissement aux lois générales. Les droits féodaux restent abolis et les titres ne sont pas héréditaires, quoique transmissibles sous certaines conditions. Néanmoins, cette tentative est à la fois une erreur et un échec, car elle choque l'opinion et séduit peu l'ancienne aristocratie. Celle-ci continue de bouder la Cour, n'envoie pas ses fils dans les lycées impériaux (malgré la création d'une Université impériale qui reçoit le monopole de l'enseignement) et refuse souvent de donner ses filles aux nouveaux nobles.

Pour assurer sa succession et fonder la IVe dynastie, Napoléon entend aussi procréer. Bien qu'attaché à Joséphine au point de lui pardonner ses frasques (elle a été infidèle et est très dépensière, collectionnant jusqu'à sept cents robes et deux cent cinquante chapeaux), Napoléon se résout à se séparer d'elle lorsqu'il reçoit la certitude que la stérilité de son couple lui est imputable. Il a eu un fils d'une lectrice de Caroline en 1806 et la Polonaise Maria Walewska s'apprête à lui en donner un autre. Le 15 décembre 1809, le Sénat annonce officiellement la dissolution du mariage impérial. L'Empereur « cherche alors un ventre », comme il le reconnaît lui-même sans délicatesse. Son choix se porte finalement sur une archiduchesse de dix-huit ans, Marie-Louise, fille de l'empereur François Ier. Même s'il a craint pendant un temps que cette union ne rappelle trop aux Français la reine Marie-Antoinette dont la jeune femme est la petite-nièce, Napoléon y voit le moyen de consolider la paix avec l'Autriche et de rendre son œuvre durable. Il est aussi flatté de pouvoir s'allier aux Habsbourg. Le mariage a lieu début avril 1810 et, le 20 mars 1811, Marie-Louise donne un héritier à l'Empereur. L'enfant, prénommé Napoléon François Joseph Charles, est aussitôt fait roi de Rome. Désormais, Napoléon consacre une grande partie de son temps à sa nouvelle famille, réduit ses audiences et se coupe des masses. Alors que les profiteurs de la Révolution auxquels il doit de régner n'en ont fait qu'un dictateur de salut public à caractère provisoire et conditionnel, il raisonne et se comporte donc de plus en plus en monarque d'ancien type. Derrière la menace qu'il adresse à l'Europe : « Tous les trônes s'écrouleraient si celui de mon fils tombait », il cherche également à se rassurer.

Parallèlement, les caractères autoritaires et répressifs de son régime se renforcent. Napoléon supprime le Tribunat en 1807, réduit les sessions du Corps législatif au point même de se passer de lui en 1812 et légifère plus que jamais par décrets et par sénatus-consultes. Après avoir remplacé Talleyrand par les dociles mais insuffisants Champagny et Maret, il disgracie, en juin 1810, le seul autre homme d'État de son gouvernement, Fouché. Savary qui succède à celui-ci multiplie les maladresses, comme celle d'afficher une répression policière, jusque-là réelle mais discrète. Des juridictions extraordinaires dessaisissent les tribunaux alors que le Code d'instruction criminelle de 1808 et le Code pénal de 1810 marquent un retour à la rigueur d'Ancien Régime (amputation du poing du parricide, pilori, travaux forcés à perpétuité...). Napoléon achève de se brouiller avec les meilleurs écrivains, comme Chateaubriand qui rompt définitivement avec lui après l'exécution de son cousin, accusé d'avoir servi d'intermédiaire entre les Anglais et les royalistes de l'Ouest. À partir de 1810-1811, il ne laisse plus subsister qu'un journal par département et que quatre titres politiques dans la capitale et envisage même de ne plus conserver que le seul *Moniteur*, le journal officiel. La mesure a au moins pour effet de cacher les difficultés économiques de l'Empire. Aux multiples faillites bancaires de l'année 1810 dues à une spéculation excessive succèdent bientôt des crises industrielles et agricoles dont le régime a les pires difficultés à venir à bout, malgré des mesures énergiques.

Alors que les peuples dominés supportent de plus en plus difficilement le joug français et que les révoltes se multiplient, les moyens dont dispose Napoléon pour maintenir son autorité sont moins efficaces que par le passé. L'armée, dont les éléments les plus aguerris sont bloqués en Espagne, doit faire appel, dans des proportions croissantes, à de jeunes conscrits inexpérimentés et à des contingents étrangers à la fidélité douteuse. À l'inverse, les ennemis ont su tirer les enseignements de leurs échecs. Mécontent de la politique polonaise de Napoléon et du blocus qui ruine l'économie russe, le tsar est incité par son entourage anglophile à rompre avec la France. Après avoir pourtant refusé la main de sa sœur à l'empereur des Français, il manifeste son mécontentement lorsque celui-ci choisit une princesse autrichienne. En décembre 1810, il décide de taxer les importations en provenance de France et d'ouvrir ses ports aux navires anglais. Son armée menace la Pologne. Dès lors, Napoléon ne le ménage plus. Sa décision d'annexer le duché d'Oldenburg, dont le souverain est l'oncle du tsar, est une véritable provocation. La fin de l'année 1811 et les premiers mois de 1812 sont une veillée d'armes au cours de laquelle la Russie parvient à faire la paix avec la Turquie et à s'assurer le concours de la Suède du régent Bernadotte qui a toujours détesté Napoléon, pendant que l'Empereur masse à la frontière cinq cent mille hommes dont seulement le quart sont français, ce qui justifie le surnom d'« armée des vingt nations ». Lorsqu'en avril 1812, Alexandre somme Napoléon de retirer ses troupes et lui propose un traité de commerce, il est déjà trop tard. L'empereur des Français a décidé de faire parler les armes.

Du 23 au 25 juin 1812, la Grande Armée entre en Russie en franchissant le Niémen. Comme l'ennemi, inférieur en nombre, refuse le combat en pratiquant la politique de la terre brûlée, elle est contrainte de s'enfoncer à l'intérieur des terres sans pouvoir se ravitailler correctement. Après la prise de Smolensk à la mi-août, elle déplore déjà cent cinquante mille malades ou déserteurs. L'Empereur hésite à poursuivre plus avant, mais sa vanité est plus forte. Il pense vaincre vite et les faits semblent d'abord lui donner raison. Sous la pression de l'état-major et du tsar, le généralissime russe Koutouzov se résout à livrer bataille pour défendre Moscou, capitale religieuse du pays. Le 7 septembre, le combat sanglant de Borodino, non loin de la Moskova, disperse l'armée russe. Une semaine plus tard, Napoléon s'installe au Kremlin, au cœur de la ville sainte de toutes les Russies. Si la ville est immédiatement détruite aux trois quarts par un immense incendie dont le responsable est probablement le gouverneur russe Rostopchine, il pense avoir gagné la guerre et croit que le tsar lui enverra bientôt des émissaires, depuis sa capitale de Saint-Pétersbourg. Il doit vite déchanter.

Non seulement les serfs ne se sont pas soulevés contre leurs seigneurs et le tsar, comme il l'espérait, mais un grand élan patriotique et religieux rassemble désormais le peuple russe autour de son souverain. Alexandre n'est donc pas décidé à traiter. Il attend un renfort de choix : l'hiver russe. Comme en Égypte, Napoléon a totalement négligé le paramètre climatique. Ni ses soldats, ni ses chevaux ne sont équipés pour affronter le froid. L'Empereur ne peut plus se maintenir à Moscou où les ressources manquent et où il risque de se faire encercler. À la mi-octobre, il ordonne donc la retraite de son armée, désormais réduite à cent mille hommes. La route du sud étant barrée par Koutouzov, il doit emprunter le même chemin qu'à l'aller, au milieu d'espaces dévastés. La faim qui oblige à manger les chevaux, le froid qui fait rapidement son apparition et qui atteint −35 °C, les Cosaques et les paysans qui massacrent traînards et blessés font des ravages, pendant que les corps autrichiens et prussiens, peu actifs jusque-là, font défection. Lors de cette débâcle, Napoléon apprend qu'un général nommé Malet a tenté de renverser son régime à Paris, le 23 octobre, en le faisant passer pour mort. Après avoir berné la majeure partie des autorités parisiennes et du gouvernement au sein desquels personne n'a songé au roi de Rome et à la dynastie, le complot n'a échoué que de justesse. Napoléon décide donc de précipiter son retour. Une fois que les restes de la Grande Armée ont réussi à échapper miraculeusement aux troupes russes, en passant la Berezina du 26 au 29 novembre, il confie le commandement à Murat et rentre à Paris. Quelques jours plus tard, seuls dix-huit mille hommes réussissent à franchir le Niémen. Arrivé aux Tuileries le 19 décembre, Napoléon reconnaît que le désastre qu'il vient d'éprouver est terrible, mais il ajoute aussitôt : « C'est une brèche à ma gloire, mais il aura servi à l'affermissement de ma dynastie. Je le compare à une tempête qui secoue violemment l'arbre jusque dans ses racines et qui le laisse plus fortement rivé au sol dont elle n'a pu l'arracher. »

La défaite de Russie donne du courage aux vaincus d'hier. En mars 1813, le roi de Prusse, pressé par son entourage et son peuple, lance un appel au soulèvement de l'Allemagne et est entendu. La Confédération du Rhin connaît ses premières défections. Après avoir confié la régence à l'Impératrice dans l'espoir d'empêcher son beau-père d'intervenir contre lui et d'éviter une nouvelle conspiration contre son régime, Napoléon prend l'offensive en mai contre les Prussiens et les Russes. Victorieux à Lützen et à Bautzen, il n'a pas les moyens de pousser son avantage et doit conclure un armistice. Le ministre autrichien Metternich lui adresse alors un ultimatum qui l'oblige à abandonner toutes les conquêtes françaises à l'exception de la rive gauche du Rhin et de l'Italie du Nord pour empêcher l'Autriche de rejoindre les coalisés. Napoléon repousse cette proposition qu'il juge humiliante : « Qu'est-ce qu'on veut de moi ? Que je me déshonore ? Jamais ! Je saurai mourir mais je ne céderai pas un pouce de territoire. Vos souverains, nés sur le trône, peuvent se laisser battre vingt fois et rentrer toujours dans leurs capitales : moi, je ne le puis pas parce que je suis un soldat parvenu. Ma domination ne survivra pas du jour où j'aurai cessé d'être fort et par conséquent d'être craint. »

La guerre reprend donc à l'été. Cette fois, Napoléon doit affronter une coalition générale (Russie, Prusse, Angleterre, Autriche, Suède) sous commandement unique. S'il l'emporte à Dresde, la plupart de ses lieutenants sont vaincus dans des combats secondaires et, très vite, il ne dispose plus que de cent soixante mille hommes face à des Alliés deux fois plus nombreux. Lors de la « bataille des nations » qui se déroule à Leipzig du 16 au 19 octobre 1813, il est trahi par les Saxons, victime de son manque d'artillerie et de la passivité de certains de ses généraux, et finalement écrasé. La Confédération du Rhin et le royaume de Westphalie n'y survivent pas. La Bavière change de camp. À l'exception de quelques places fortes, la totalité de l'Allemagne est perdue. Il en est de même pour la Hollande, la Suisse et l'Espagne, alors que l'Italie napoléonienne est envahie par les Austro-Anglais et que Murat fait défection dans l'espoir de conserver son royaume. Les frontières de la France sont toutes menacées et, le 21 décembre, les premiers Autrichiens paraissent en Alsace. C'est son trône que Napoléon doit maintenant sauver.

Le Corps législatif en profite pour se réveiller. Il invite l'Empereur à ne continuer la guerre « que pour l'indépendance et la sécurité du territoire » et réclame la garantie des libertés civiles et politiques. Napoléon lui répond en l'ajournant. Il menace à cette occasion d'en appeler au « quatrième état » et estime que « le temps est venu de chausser les bottes de 1793 ». Il envoie donc dans les départements des représentants pour précipiter la conscription, organiser la Garde nationale et relever les ardeurs. Cependant, devant l'hostilité des notables et l'agitation de plusieurs provinces, il ne peut décréter la levée en masse. Malgré l'appel anticipé sous les drapeaux de jeunes de moins de vingt ans que l'on surnomme les « Marie-Louise », en hommage à l'Impératrice, il n'a guère que soixante-dix mille hommes à opposer aux trois cent cinquante mille combattants de la coalition qui en tient presque autant en réserve.

Après avoir donné l'ordre de ramener le pape en Italie, témoignant ainsi de l'échec de sa politique religieuse, Napoléon confie, pour la seconde fois, le 23 janvier 1814, la régence et la garde du roi de Rome à Marie-Louise. Lorsqu'il les quitte, dans la nuit du lendemain, pour aller livrer une campagne de France héroïque, il ne sait pas encore qu'il ne les reverra plus jamais. Il nourrit encore le secret espoir de vaincre. Pour cela, il lui faut battre les trois armées d'invasion du Nord-Est l'une après l'autre pour les empêcher de faire leur jonction. Il se multiplie et réalise des miracles. De la fin janvier à la mi-mars, il remporte les victoires de Saint-Dizier, de Brienne, de Champaubert, de Montmirail, de Château-Thierry, de Vauchamps, de Montereau, de Craonne et de Reims. Le 9 mars, les Anglais qui commencent à craindre des défections dans la coalition obtiennent la signature du pacte de Chaumont. Les Alliés s'engagent à ne pas conclure de paix séparée avec Napoléon jusqu'à son écrasement final. Après avoir vainement essayé de leur couper la route de Paris à Arcis-sur-Aube, l'Empereur tente, dans une ultime manœuvre, de se jeter sur leurs lignes de communication pour les faire rétrograder. Certains de leur supériorité, ils négligent la menace et arrivent sous les murs de Paris, le 29 mars. Napoléon est alors trahi par l'arrière. Alors que Bordeaux et Lyon se sont déjà livrés, Paris capitule au terme d'une journée de combats très violents. Les populations accueillent passivement l'effondrement du régime, sauf celles de l'Est qui, sans doute plus sensibles à ses probables conséquences, se soulèvent en certains endroits.

C'est à Fontainebleau où il s'est réfugié que Napoléon apprend successivement la chute de Paris, l'appel du conseil général de la Seine aux Bourbons, et le vote de sa déchéance par le Sénat qu'a travaillé Talleyrand. Le 4 avril, ses maréchaux Ney, Berthier et Lefebvre lui arrachent une abdication en faveur de son fils. Quelques heures plus tard, il envisage pourtant de ressaisir le pouvoir. Il parle de marcher sur Paris à la tête des quelques dizaines de milliers d'hommes dont il dispose encore, d'appeler à l'aide Eugène de Beauharnais qui tient toujours une partie de l'Italie ou de rejoindre Suchet et Soult qui combattent encore dans le Sud-Ouest. Mais son entourage commence à l'abandonner et Marmont passe à l'ennemi avec son corps d'armée. Le 6 avril, les Alliés imposent une abdication sans condition et le Sénat appelle Louis XVIII au trône. Dans un moment de désespoir, Napoléon essaie vainement de s'empoisonner à l'aide d'une petite fiole qu'il porte sur lui depuis quelques mois.

Le 20 avril, en la présence du seul Maret parmi les dignitaires du régime déchu, Napoléon fait de touchants adieux aux troupes qui lui sont restées fidèles : « Officiers, sous-officiers et soldats de ma vieille garde, je vous fais mes adieux ! Depuis vingt ans je vous ai trouvés constamment sur le chemin de l'honneur et de la gloire. Dans ces derniers temps, comme dans ceux de notre prospérité, vous n'avez cessé d'être des modèles de fidélité et de bravoure. Avec des hommes tels que vous, notre cause n'était pas perdue... Si j'ai consenti à vous survivre, c'est pour servir encore à votre gloire. Je veux écrire les grandes choses que nous avons faites ensemble. Adieu, mes enfants ! Je voudrais vous presser tous sur mon cœur ; que j'embrasse au moins votre drapeau ! Que ce dernier baiser passe dans vos cœurs ! » Il prend ensuite le chemin de l'île d'Elbe dont des tractations difficiles viennent de lui accorder la souveraineté. Sur le trajet de l'exil, dans cette vallée du Rhône où, quatorze ans plus tôt, il était accueilli en sauveur, les huées et les menaces de mort lui font mesurer la haine qu'une partie des Français éprouve désormais à son encontre.

Chapitre VII

Forger la légende
(1814 – 1821)

L'exil à l'île d'Elbe – Les Cent Jours – Waterloo – Sainte-Hélène

> « *L'infortune seule manquait à ma renommée ;
> j'ai porté la couronne impériale de la France, la
> couronne de fer d'Italie ; et maintenant l'Angleterre
> m'en a donné une autre plus grande encore et plus
> glorieuse – celle portée par le sauveur du monde,
> une couronne d'épines.* »
>
> Napoléon BONAPARTE, 1817.

Lorsqu'il débarque le 4 mai 1814, à Portoferraio, capitale de l'île d'Elbe, Napoléon paraît heureux. Il semble vouloir oublier au plus vite les heures douloureuses de Fontainebleau en s'intéressant de près à ce petit État situé entre la Corse et l'Italie, dont les Alliés lui ont concédé la souveraineté avec le titre d'empereur. Il stupéfie les notables locaux par l'étendue de ses connaissances sur le lieu, consciencieusement acquises depuis son abdication. Cependant, qui peut sérieusement croire que l'homme qui a dominé l'Europe se contentera désormais de diriger ce territoire insignifiant avec ses deux cent vingt-deux kilomètres carrés et ses douze mille habitants ? Qui peut s'imaginer qu'il consentira à finir sa vie dans un petit palais, loin de sa grandeur passée, alors qu'il n'a pas encore cinquante ans ?

Ses vainqueurs sont d'ailleurs prudents. L'île est surveillée en permanence par la marine anglaise et l'Empereur lui-même par de nombreux espions. Les Alliés sont encore sur le pied de guerre et Louis XVIII, qui vient de monter sur le trône de France, fait preuve de finesse et de mesure pour réaliser l'union autour de la royauté restaurée. Même s'il est sans doute effleuré assez tôt par l'idée d'un retour, Napoléon sait que la situation n'est pas mûre. Il se montre d'autant plus conciliant qu'il espère que sa femme et son fils seront bientôt autorisés à le rejoindre.

Il se prend au jeu d'organiser son petit État. Il s'appuie pour cela sur ses fidèles et en particulier sur Bertrand, successeur de Duroc comme grand maréchal du Palais qui cumule les postes de ministre secrétaire d'État et de ministre de l'Intérieur. L'Empereur et son gouvernement débordent d'activités. Ils modernisent l'administration et les douanes, irriguent les plaines et reboisent les vallées, créent des hôpitaux et une école militaire, construisent des routes... Napoléon reçoit fréquemment ses sujets ou leur rend visite. Une petite cour se reconstitue autour de lui avec Madame Mère et sa sœur Pauline qui joue le rôle de maîtresse de maison. Bals et réceptions se succèdent. Des étrangers affluent pour rencontrer l'Empereur ou le servir. S'il ne peut revoir Joséphine dont le décès à la Malmaison l'affecte beaucoup, il a le plaisir de recevoir la visite de la comtesse Walewska. Elle lui amène leur fils Alexandre, né en 1810. L'Empereur joue quelques heures avec l'enfant qui lui rappelle le roi de Rome, mais il demande bientôt à la mère de s'éloigner avec lui, car il n'entend pas compromettre la venue de l'Impératrice et de son héritier.

En fait, Marie-Louise, réfugiée à Vienne à la chute de l'Empire, se voit interdire de rejoindre son époux puis finit par l'oublier dans les bras du comte de Neipperg. Quant au roi de Rome, éphémère Napoléon II, il est désormais élevé en Autrichien. L'ombre du grand homme n'a pourtant pas disparu. Les Alliés réunis en congrès à Vienne pour reconstruire l'Europe envisagent de se prémunir contre son possible retour en le plaçant jusqu'à sa mort sur une île lointaine, Sainte-Hélène. Par ailleurs, certains royalistes projettent de l'assassiner. Napoléon n'en ignore rien. La dotation annuelle de deux millions de francs (soit l'équivalent de près de sept millions d'euros d'aujourd'hui) promise par les Alliés en échange de son abdication et qui devait lui permettre de fortifier son île ne lui a jamais été versée. Il se considère donc délié de ses propres engagements. En outre, ses visiteurs et les journaux qu'il reçoit régulièrement du continent lui apprennent combien la Restauration est devenue impopulaire. Blessée dans son orgueil par le traité de Paris qui a ramené la France à ses frontières de 1792, la Grande Nation supporte mal d'être désormais aux mains d'anciens émigrés qui l'ont jadis combattue et qui « n'ont rien appris et rien oublié ». Avec ces hommes, partisans pour la plupart de l'ultraroyalisme et d'un catholicisme intransigeant, reviennent le drapeau blanc, les processions expiatoires et l'obligation du repos dominical. Les militaires licenciés, les propriétaires de biens nationaux menacés dans leur propriété voire dans leur vie, les paysans inquiets d'un retour possible à la féodalité, et les ouvriers victimes du chômage occasionné par la fin du Blocus et de l'économie de guerre commencent à regretter l'Empire et à oublier le despote pour ne plus se souvenir que du garant des conquêtes révolutionnaires. Parallèlement, les bonapartistes s'agitent dans des salons comme celui d'Hortense de Beauharnais et fomentent des complots dans l'armée. Ils envoient des émissaires à l'île d'Elbe et parviennent sans peine à convaincre l'Empereur, confiant en son étoile, de l'opportunité de rentrer.

S'il est donc loin d'être « l'invasion du pays par un seul homme » qu'évoque Chateaubriand, le retour de Napoléon n'en est pas moins extraordinaire. Embarqué le 26 février 1815 sur le brick l'*Inconstant*, l'Empereur déjoue la surveillance de ses geôliers et pose le pied sur le sol français le 1er mars, à Golfe-Juan, près d'Antibes. Avec Cambronne et les sept cents hommes de sa garde, il s'apprête à reconquérir la France. Certains ont voulu voir dans l'extraordinaire facilité de ce retour un piège tendu par les puissances pour mieux l'éliminer. Les Alliés n'avaient guère besoin d'un tel prétexte et ils connaissaient mieux que quiconque le risque encouru avec ce diable d'homme. Ils le savaient en relation avec son beau-frère Murat et s'imaginaient sans doute qu'il tenterait une reconquête par l'Italie, certainement pas une action aussi audacieuse. Quant à l'entourage de Louis XVIII, aveuglé par son mépris pour l'usurpateur et par sa confiance dans l'avenir de la monarchie restaurée, il n'a pas vu venir le danger.

Le « vol de l'aigle [...] de clocher en clocher jusqu'aux tours de Notre-Dame » ne prend que vingt jours. Évitant la vallée du Rhône royaliste, l'Empereur remonte vers la capitale par les Alpes, en empruntant un chemin muletier qui deviendra pour l'histoire la « route Napoléon ». Dans ses discours et proclamations, il annonce clairement les raisons de son acte (« Français, j'arrive parmi vous pour reprendre mes droits qui sont les vôtres »), se pose en défenseur de l'œuvre révolutionnaire et en adversaire des émigrés, des privilèges et des droits féodaux, mais adapte aussi son langage à son auditoire, de façon à séduire le plus grand nombre. Acclamé à Digne le 4 mars, à Sisteron le 5 et à Gap le 6 par les citadins ainsi que par les paysans et les bergers descendus des montagnes, il joue la partie décisive le 7. Au défilé de Laffrey, il se heurte aux troupes royales venues lui barrer la route, mais trouve aussitôt les gestes et les paroles qu'il faut. Descendu de cheval, il s'avance en découvrant sa poitrine : « Soldats du 5e de ligne, reconnaissez-moi ! S'il en est un parmi vous qui veuille tuer son général, son Empereur, il le peut : me voilà ! » Tous les soldats magnétisés fraternisent aussitôt avec sa garde en criant : « Vive l'Empereur ! » À Grenoble où il arrive en soirée, le peuple lui ouvre la ville, puis les corps constitués, la magistrature et le clergé défilent devant lui pour renouveler leur serment. De simple aventurier, il est redevenu prince, comme le confirme l'accueil triomphal que lui réserve Lyon, le 10. Bourrelé de remords, impressionné par l'état d'esprit de la troupe et de l'opinion, le maréchal Ney, qui a promis au roi de « ramener l'usurpateur dans une cage de fer », renonce finalement à « endiguer les flots de la mer avec ses mains » et se rallie à Auxerre, le 18. Sans qu'une goutte de sang ait été versée, sans qu'un coup de feu ait été tiré, Napoléon reprend possession des Tuileries, le 20 mars, à vingt et une heures. Sur le palais quitté précipitamment, quelques heures plus tôt, par Louis XVIII et ses partisans en route pour Gand et l'exil, flotte de nouveau le drapeau tricolore.

Les lendemains déchantent vite. En mettant de l'ordre dans ses papiers au matin du 21 mars, Napoléon laisse échapper : « Pauvre France », mais le legs des Bourbons n'est pas seul en cause. Il ne parvient pas à exploiter le grand élan populaire qui l'a replacé sur le trône. Il repousse d'emblée l'idée d'une dictature de fer que pourrait justifier la situation, ne recourt qu'à un homme de 1793 (Carnot, qui reçoit l'Intérieur) et refuse d'armer les ouvriers des faubourgs parisiens. « Je ne veux pas être un roi de la jacquerie », affirme-t-il en privé.

Il reprend ses anciens serviteurs qui lui sont restés fidèles : Cambacérès à la Justice, Maret à la Secrétairerie d'État, Gaudin aux Finances, Mollien au Trésor, Davout à la Guerre, Decrès à la Marine et aux Colonies, Caulaincourt aux Affaires étrangères, mais aussi Fouché à la Police car l'homme serait trop dangereux s'il était laissé à l'extérieur. Il est tenté de recréer l'Empire dans la forme où il l'a laissé un an plus tôt. S'il se rend compte assez vite que la Cour qu'il ambitionne de reconstituer aux Tuileries est un échec et s'il quitte donc le palais impérial, le 17 avril, pour le cadre plus intime de l'Élysée, il participe encore le 1er juin à la cérémonie du Champ de Mai dont le rituel suranné déconcerte les populations.

Cependant, il demeure persuadé que le soutien des notables lui est indispensable. Alors que ces hommes l'ont lâché un an plus tôt, il décide de s'en remettre une nouvelle fois à eux et, puisqu'ils ne jurent plus que par la liberté, il se résout à fonder un Empire libéral. Il ne peut alors faire moins que Louis XVIII qui a concédé la Charte et un régime parlementaire. À sa demande, Benjamin Constant qui l'a pourtant traité d'Attila et de Gengis Khan en apprenant son débarquement à Golfe-Juan, rédige un texte constitutionnel. Ce dernier, appelé Acte additionnel aux Constitutions de l'Empire pour sauver les apparences, n'est qu'une version remaniée de la Charte dans un sens encore plus libéral : abaissement du cens, responsabilité des ministres devant les Chambres, publicité des débats, suppression de la censure, abolition des juridictions d'exceptions. Le plébiscite de ratification est un échec avec certes 1 532 527 « oui » contre 4 802 « non », mais aussi et surtout près de 80 % d'abstentions. Les Chambres réunies début juin sont dominées par les libéraux et manifestent d'entrée leur défiance à l'égard de Napoléon. Il est vrai que celui-ci, déjà confronté à des soulèvements royalistes en Bretagne, en Vendée, à Bordeaux et dans la vallée du Rhône, va devoir reprendre les armes contre les grandes puissances.

Dès qu'ils ont appris son retour, les Alliés ont mis Napoléon au ban de l'Europe en le déclarant « ennemi et perturbateur du repos du monde ». Si l'Empereur a protesté de sa volonté pacifique et affirmé reconnaître le traité de Paris, ils ont renouvelé le pacte de Chaumont. La maladresse de Murat qui, en dépit des conseils de prudence de son beau-frère, a pris l'offensive contre l'Autriche en en appelant à l'indépendance et à l'unité de l'Italie, a été écrasé en une bataille puis s'est vu contraint de se réfugier en France, achève de précipiter la guerre. Dès lors, Napoléon décide de prendre ses adversaires de vitesse avant qu'ils ne fassent leur jonction. À la tête de cent vingt-cinq mille hommes, il marche sur la Belgique où se trouve la menace la plus pressante : quatre-vingt-quinze mille Anglo-Hollandais et cent vingt-cinq mille Prussiens. Le 16 juin, les Prussiens de Blücher sont vaincus à Ligny, mais sans être écrasés. Napoléon laisse à Grouchy le soin de les contenir et se porte au-devant des Anglo-Hollandais de Wellington, que Ney n'est pas parvenu à disperser à la bataille de Quatre-Bras. Le choc décisif se déroule le 18 dans la « morne plaine » d'un village au sud de Bruxelles, Waterloo. Le terrain détrempé par un violent orage nocturne dessert le plan de Napoléon. L'attaque française, qui vise à déloger Wellington du plateau du Mont-Saint-Jean, échoue ; l'arrivée de Blücher, qui a échappé à Grouchy, provoque la déroute. Désespéré, l'Empereur veut s'élancer pour renverser la décision ou trouver la mort, mais ses généraux le retiennent. La Vieille Garde qui « meurt et ne se rend pas », selon les mots attribués à Cambronne, se sacrifie pour permettre au reste de l'armée d'éviter la débâcle totale et à Napoléon de ne pas être pris.

L'Empereur est de retour à Paris le 21 au petit jour. En regardant la foule venue l'acclamer devant l'Élysée, il dit à Benjamin Constant : « Vous les voyez ! Ce n'est pas eux que j'ai comblés d'honneurs et gorgés d'argent. Que me doivent-ils ? Je les ai trouvés, je les ai laissés pauvres. Mais l'instinct de la nécessité les éclaire, la voix du pays parle en eux. Si je le veux, dans une heure, la Chambre réelle n'existera plus. Mais la vie d'un homme ne vaut pas ce prix. Je ne suis pas revenu de l'île d'Elbe pour que Paris soit inondé de sang. » Il se refuse donc, en dépit de ce soutien populaire mais aussi malgré les conseils de son frère Lucien, de Carnot, de Davout et d'autres encore, à dissoudre les Chambres, à proclamer la patrie en danger et à décréter la levée en masse. Devant l'invasion du territoire pour la seconde fois en un an et l'opposition des Chambres montées contre lui par Fouché, il abdique le 22 juin en faveur de son fils, après avoir proclamé : « Je m'offre en sacrifice à la haine des ennemis de la France. » À l'incitation du ministre qui craint une manœuvre de ses partisans, il quitte Paris pour la Malmaison où il retrouve le souvenir de Joséphine. Malgré les promesses qu'on lui a faites, le gouvernement provisoire ne reconnaît pas son fils et appelle de nouveau les Bourbons.

Napoléon suit alors le conseil de ses derniers fidèles et accepte de s'éloigner.

À Rochefort où il arrive le 3 juillet puis à l'île d'Aix où il se trouve à partir du 8, il a la possibilité de prendre un bateau pour les États-Unis. Sans ressort, il tergiverse puis finit par refuser, craignant sans doute le ridicule d'être appréhendé comme un brigand. Le 14, il décide de se rendre aux Anglais qu'il croit loyaux. Il espère ainsi être placé en résidence surveillée outre-Manche. Transporté à Plymouth par le *Bellérophon*, il est finalement transféré malgré ses protestations sur le *Northumberland* à destination de Sainte-Hélène. Confronté à l'opposition de toute l'Europe, privé du soutien des notables et refusant l'appui du peuple, le sursaut de Napoléon n'a donc pas duré cent jours, comme le préfet de la Seine, Chabrol de Volvic, se plaît à le souligner, lors du retour de Louis XVIII dans sa capitale.

Cette histoire commencée dans une île s'achève donc dans une île. En apercevant Sainte-Hélène, le 14 octobre 1815, soit deux jours avant d'y débarquer, Napoléon constate laconiquement que « ce n'est pas un joli séjour ». De fait, l'îlot anglais, perdu au milieu de l'Atlantique Sud, à deux mille cinq cents kilomètres des premières côtes africaines et à huit mille kilomètres de l'Europe, est plutôt inhospitalier avec ses hautes falaises, son relief tourmenté et son climat pluvieux. Il rassemble à peine plus de cinq mille habitants. Après avoir passé quelque temps aux *Briars* où ses hôtes sont charmants et où il s'amuse beaucoup de l'espièglerie de la jeune fille de la maison, Napoléon s'installe, le 10 décembre 1815, à *Longwood*, l'ancienne résidence d'été du gouverneur, à peine réaménagée pour l'accueillir et qui sera sa dernière demeure.

Aidé par les rares compagnons qu'il a été autorisé à conserver auprès de lui (les généraux Bertrand et de Montholon, son secrétaire, le comte de Las Cases, la famille de ces trois hommes, le général Gourgaud, le chirurgien irlandais O'Meara ainsi que dix domestiques dont le fidèle valet de chambre Marchand, le maître d'hôtel Cipriani et le mamelouk Ali), Napoléon maintient un cérémonial sévère et une étiquette rigoureuse. Aux Anglais qui ne l'appellent plus que le « général Bonaparte » il entend ainsi montrer qu'il reste l'Empereur. Il consacre de longs moments à dicter à ses proches sa version de l'épopée comme il s'y était engagé lors des adieux de Fontainebleau. Il en profite pour effacer tout ce qui peut nuire à son image et se poser en défenseur de la paix, des nationalités opprimées et des libertés auquel la nécessité aurait imposé la guerre et le despotisme. Pour le reste, il meuble son temps en apprenant l'anglais, en se promenant mélancoliquement et en ressassant ses souvenirs, en lisant ou en jouant quelques napoléons avec ses compagnons d'infortune au cours d'interminables soirées. Outre l'ennui qu'elle lui procure, sa vie est difficile. Il est affecté par les jalousies et disputes des membres de son entourage. Ses geôliers et en particulier le nouveau gouverneur Hudson Lowe, arrivé en avril 1816, sont hantés par l'évasion de l'île d'Elbe et écrasés par le poids de leur mission. Ils l'épient, l'empêchent de voir qui bon lui semble, censurent sa correspondance, restreignent ses mouvements et obligent certains de ses proches à quitter l'île (Las Cases, O'Meara). Malgré l'intervention du pape (« Il ne peut être un danger pour quelqu'un, nous désirerions qu'il ne fût un remords pour personne »), les Anglais ne se décident pas à adoucir son sort. Alors qu'il aurait déjà pu mourir cent fois au combat, être assassiné ou réussir son suicide de Fontainebleau, Napoléon se rend rapidement compte que la fin qui l'attend sert mieux que nulle autre sa grandeur. Il invoque alors le modèle le plus élevé qu'il puisse trouver : « Si le Christ n'était pas mort en croix, il ne serait pas Dieu. »

Sa santé qui a toujours été médiocre (gale maligne contractée au siège de Toulon et qui le handicape plusieurs années, crises d'hémorroïdes, maux d'estomac qui expliqueraient sa célèbre habitude de placer sa main droite dans son habit) se dégrade rapidement à partir de 1817. C'est très probablement un cancer du foie développé sur un ancien ulcère qui l'emporte, le samedi 5 mai 1821 à 17 h 49. Alors que dans son testament, Napoléon a formulé le vœu que sa dépouille soit ramenée à Paris (« Je désire que mes cendres reposent sur les bords de la Seine, au milieu de ce peuple français que j'ai tant aimé »), les Anglais lui donnent une humble sépulture marquée d'une pierre anonyme, dans une vallée verdoyante de l'île où il lui a jadis plu de se reposer. À l'annonce de la mort de son ancien maître, Talleyrand, qui n'est pas avare de bons mots, lance : « Ce n'est plus un événement, c'est une nouvelle. » Il commet cependant une lourde erreur car la légende est déjà en marche. Elle ne fait ensuite que prendre de l'ampleur avec la publication du *Mémorial* de Las Cases et des

Mémoires des compagnons, avec la nostalgie des grognards et la passion romantique, avec le recul de la France et la tentative faite par Louis-Philippe pour s'approprier une part de la gloire de son illustre prédécesseur en organisant le retour de ses cendres. Donnons la parole à Chateaubriand qui n'aimait point Napoléon sans pouvoir s'empêcher de l'admirer : « Après avoir subi le despotisme de sa personne, il nous faut subir le despotisme de sa mémoire », pour aussitôt rappeler, en guise de conclusion, ce jugement assez juste du héros lui-même : « Rien ne saurait désormais détruire ou effacer les grands principes de notre Révolution. Ces grandes et belles vérités doivent demeurer à jamais, tant nous les avons entrelacées de lustre, de monuments, de prodiges [...]. Cette ère mémorable se rattachera, quoi qu'on ait voulu dire, à ma personne, parce que après tout j'ai fait briller le flambeau, consacré les principes, et qu'aujourd'hui la persécution achève de m'en rendre le Messie ! »

Baie de Santa-Giulia,
Corse, le 15 août 2003.

Un portrait de Napoléon

Parmi les nombreux portraits de Napoléon qui nous ont été laissés par ses contemporains, celui du chancelier autrichien Metternich est l'un des plus intéressants parce que l'un des plus objectifs.

« Dans la pratique comme dans la discussion, il marchait vers son but, sans s'arrêter à des considérations qu'il traitait comme secondaires, et dont trop souvent peut-être il dédaignait l'importance...

Il possédait peu de connaissances scientifiques. Ce qu'il connaissait des sciences mathématiques ne l'eût point élevé au-dessus de tout officier formé, comme lui, pour l'arme de l'artillerie. Mais ses facultés naturelles suppléaient au savoir. Il est devenu législateur et administrateur, comme grand capitaine, par suite de son seul instinct.

La trempe de son esprit le conduisait toujours vers le positif ; il repoussait les idées vagues, il abhorrait également les rêves des visionnaires et les abstractions des idéologies et il traitait de rabâchage tout ce qui ne lui présentait pas des aperçus clairs et des résultats utiles... Il avait voué un profond mépris à la fausse philosophie comme à la fausse philanthropie du XVIIIe siècle. Parmi les coryphées de ces doctrines, Voltaire était surtout l'objet de son aversion...

Napoléon n'était pas irréligieux dans le sens ordinaire de ce terme. Il n'admettait pas qu'il eût jamais existé un athée de bonne foi ; il condamnait le déisme comme fruit d'une spéculation téméraire. Chrétien et catholique, ce n'est qu'à la religion positive qu'il reconnaissait le droit de gouverner les sociétés humaines. Il regardait le christianisme comme la base de toute civilisation véritable... Indifférent quant à sa personne aux pratiques religieuses, il est possible que la religion ait été en lui moins une affaire de sentiment que le résultat d'une politique éclairée...

Il était persuadé que nul homme, appelé à paraître sur la scène publique ou engagé seulement dans les poursuites actives de la vie, ne se conduisait ni ne pouvait être conduit par un autre ressort que celui de l'intérêt. Il ne niait pas la vertu et l'honneur, mais il prétendait que ni l'un ni l'autre de ces sentiments n'avait jamais servi de principal guide qu'à ceux qu'il qualifiait de rêveurs et auxquels, à ce titre, il refusait dans sa pensée toute faculté requise pour prendre part avec succès aux affaires de la société...

Il était doué d'un tact particulier pour reconnaître les hommes qui pouvaient lui être utiles. Il découvrait bien vite encore le côté par lequel il en tirerait le plus de parti. N'oubliant cependant jamais de rechercher le gage de leur fidélité dans un calcul d'intérêt, il avait soin de les lier à sa propre fortune, en les compromettant de manière à ce que tout retour à d'autres engagements leur fût coupé.

Il avait surtout étudié le caractère national des Français. Il regardait en particulier les Parisiens comme des enfants et comparait souvent Paris au grand Opéra...

Napoléon se regardait comme un être isolé dans le monde, fait pour le gouverner et pour diriger tous les esprits à son gré. Il n'avait d'autre considération pour les hommes que celle que peut avoir un chef d'atelier pour ses ouvriers...

Napoléon croyait à la fortune... Il aimait à vanter son étoile ; il était fort aise que le vulgaire ne répugnât pas à le croire un être privilégié...

Il était tellement habitué à se regarder comme nécessaire au maintien du système qu'il avait créé, qu'à la fin il ne comprenait plus comment le monde pourrait aller sans lui. Je n'ai aucun doute que ce ne fût du fond de son âme et de pleine conviction que, dans notre entretien à Dresde en 1813, il me dit ces propres paroles : " Je périrai peut-être, mais j'entraînerai dans ma chute les trônes et la société tout entière."

Les succès prodigieux dont sa vie était remplie avaient sans doute fini par l'aveugler ; mais jusqu'à la campagne de 1812, où pour la première fois il succomba sous le poids des illusions, il n'avait jamais perdu de vue les calculs profondément réfléchis par lesquels il avait tant de fois triomphé. Même après le désastre de Moscou, nous l'avons vu défendre son existence avec autant de sang-froid que d'énergie, et sa campagne de 1814 fut sans contredit celle dans laquelle, avec des moyens fort réduits, il déploya le plus de talent militaire. [...]

On a souvent agité la question si Napoléon était foncièrement bon ou méchant. Il m'a toujours paru que ces épithètes, telles qu'on les entend ordinairement, ne sont point applicables à un caractère comme le sien. Constamment occupé d'un seul objet, livré jour et nuit au soin de tenir le gouvernail d'un empire qui, dans ses accroissements progressifs, a fini par embrasser les intérêts d'une grande partie de l'Europe, il ne reculait jamais devant la crainte des froissements qu'il pouvait causer, ni même devant la somme immense de souffrances individuelles, inséparable de l'exécution de ses projets. Tel qu'un char lancé écrase ce qu'il rencontre sur sa route, Napoléon ne songeait qu'à avancer. Il ne tenait aucun compte de ceux qui n'avaient pas su se mettre en garde ; il était tenté parfois de les accuser de stupidité. Impassible pour tout ce qui se trouvait hors de la direction de sa route, il ne s'en occupait ni en bien ni en mal. Il a pu compatir aux malheurs bourgeois ; il était indifférent aux malheurs politiques. [...]

La domination universelle à laquelle il visait n'avait pas pour objet de concentrer dans ses mains le gouvernement direct d'une masse énorme de pays, mais d'établir une suprématie centrale sur les États de l'Europe, d'après l'idéal défiguré et exagéré de l'Empire de Charlemagne. Si ces considérations momentanées lui ont fait abandonner ce système, si elles l'ont entraîné à s'approprier ou à incorporer au territoire français des contrées auxquelles, pour son intérêt bien entendu, il n'aurait pas dû toucher, ces mesures essentiellement nuisibles à l'affermissement de son pouvoir, loin d'avancer le développement du grand plan qui occupait le fond de sa pensée, n'ont servi qu'à le renverser et à le détruire. Ce plan se serait également étendu à l'Église. Il voulait fixer à Paris le siège du catholicisme, et détacher le pape de tout intérêt temporel en lui assurant la suprématie spirituelle sous l'égide de la France impériale. [...]

Le vaste édifice qu'il avait construit était exclusivement l'ouvrage de ses mains, et lui-même en a été la clé de voûte. Mais cette gigantesque construction manquait essentiellement de base ; les matériaux qui la composaient n'étaient que les décombres d'autres édifices, les uns pourris, les autres sans consistance dès leur création. La clé de voûte a été soulevée, et le bâtiment a croulé de fond en comble... Conçu et créé par Napoléon, l'Empire français n'a existé qu'en lui seul ; avec lui il a dû s'éteindre ! »

METTERNICH, *Mémoires, publiés par son fils*, tome I, Paris, Plon, 1881, pp. 279 et suiv.

Cent dates clés
de la vie de Napoléon

15 août 1769 : il naît à Ajaccio.

1er janvier 1779 : il entre au collège d'Autun.

15 mai 1779 : il passe au collège militaire de Brienne.

19 octobre 1784 : il entre à l'École militaire de Paris.

28 octobre 1785 : il sort 42e sur 58 de l'École militaire de Paris.

3 novembre 1785 : il débute sa vie de garnison à Valence.

6 février 1791 : il est de retour à Valence après plus d'un an passé en Corse.

10 août 1792 : il assiste à la prise des Tuileries ainsi qu'au massacre qui la suit et en est profondément marqué.

11 juin 1793 : il doit fuir la Corse avec sa famille.

29 juillet 1793 : il publie *Le Souper de Beaucaire*.

22 décembre 1793 : il est nommé au grade de général de brigade après avoir pris Toulon aux Anglais.

11 juillet 1794 (23 messidor an II) : il part en mission pour Gênes sur ordre de Robespierre jeune.

9 août 1794 (22 thermidor an II) : il est mis en état d'arrestation après la chute de Robespierre.

20 août 1794 (3 fructidor an II) : il est libéré après avoir été lavé de tout soupçon.

21 avril 1795 (2 floréal an III) : il se fiance avec Désirée Clary.

15 septembre 1795 (29 fructidor an III) : il est rayé de la liste des généraux employés par le Comité de salut public pour avoir refusé un commandement à l'armée de l'Ouest.

5 octobre 1795 (13 vendémiaire an IV) : il participe à l'écrasement de l'insurrection royaliste contre la Convention.

15 octobre 1795 (23 vendémiaire an IV) : il fait la connaissance de Joséphine de Beauharnais.

16 octobre 1795 (24 vendémiaire an IV) : il est nommé général de division.

26 octobre 1795 (3 brumaire an IV) : il devient commandant en chef de l'armée de l'Intérieur.

9 mars 1796 (19 ventôse an IV) : il épouse Joséphine de Beauharnais.

11 mars 1796 (21 ventôse an IV) : il part prendre le commandement en chef de l'armée d'Italie auquel il a été nommé le 2 mars.

28 avril 1796 (9 floréal an IV) : il signe l'armistice de Cherasco avec la Sardaigne après les victoires de Montenotte et de Mondovi.

17 novembre 1796 (27 brumaire an V) : il remporte la victoire d'Arcole après celle de Lodi le 10 mai et celle de Castiglione le 5 août.

14 janvier 1797 (25 nivôse an V) : il remporte la victoire de Rivoli.

17 octobre 1797 (26 vendémiaire an VI) : il signe la paix de Campoformio avec les Autrichiens après avoir signé un armistice et des préliminaires de paix à Leoben le 18 avril.

25 décembre 1797 (5 nivôse an VI) : il est élu à l'Institut.

19 mai 1798 (30 floréal an VI) : il s'embarque pour l'Égypte.

21 juillet 1798 (3 thermidor an VI) : il remporte la victoire des Pyramides.

7 mars 1799 (17 ventôse an VII) : il prend Jaffa.

11 mai 1799 (22 floréal an VII) : il renonce à prendre Saint-Jean-d'Acre après avoir mis le siège devant la ville le 19 mars.

25 juillet 1799 (7 thermidor an VII) : il remporte la victoire terrestre d'Aboukir.

23 août 1799 (6 fructidor an VII) : il quitte l'Égypte.

16 octobre 1799 (24 vendémiaire an VIII) : il arrive à Paris.

9 novembre 1799 (18 brumaire an VIII) : il est nommé commandant de la place de Paris.

10 novembre 1799 (19 brumaire an VIII) : il réalise un coup d'État contre les Assemblées du Directoire et devient consul provisoire de la République.

24 décembre 1799 (3 nivôse an VIII) : il devient Premier consul.

13 février 1800 (24 pluviôse an VIII) : il crée la Banque de France.

17 février 1800 (28 pluviôse an VIII) : il institue les préfets.

19 février 1800 (30 pluviôse an VIII) : il s'installe aux Tuileries.

14 juin 1800 (25 prairial an VIII) : il remporte la victoire de Marengo.

7 septembre 1800 (20 fructidor an VIII) : il répond par une fin de non-recevoir aux offres d'ouverture de Louis XVIII.

24 décembre 1800 (3 nivôse an IX) : il échappe à la mort dans l'attentat de la rue Saint-Nicaise.

15 juillet 1801 (26 messidor an IX) : il signe le Concordat avec le pape Pie VII.

1ᵉʳ mai 1802 (11 floréal an X) : il crée les lycées.

19 mai 1802 (29 floréal an X) : il institue la Légion d'honneur.

20 mai 1802 (30 floréal an X) : il rétablit l'esclavage dans les colonies.

4 août 1802 (16 thermidor an X) : il devient consul à vie.

10 mars 1803 (19 ventôse an XII) : il décide de faire arrêter en territoire étranger le duc d'Enghien qui sera finalement exécuté le 21 mars.

3 mai 1803 (13 floréal an XI) : il vend la Louisiane aux États-Unis.

18 mai 1804 (28 floréal an XII) : il est proclamé empereur des Français.

2 décembre 1804 (11 frimaire an XIII) : il se fait sacrer empereur à Notre-Dame, en présence de Pie VII.

17 mars 1805 (26 ventôse an XIII) : il est proclamé roi d'Italie avant d'être couronné à Milan le 26 mai.

20 octobre 1805 (27 vendémiaire an XIV) : il reçoit la capitulation d'Ulm après la victoire d'Elchingen le 1er octobre.

2 décembre 1805 (11 frimaire an XIV) : il remporte la victoire d'Austerlitz.

30 mars 1806 : il fait de son frère Joseph le roi de Naples.

10 mai 1806 : il fonde l'Université.

5 juin 1806 : il proclame son frère Louis roi de Hollande.

14 octobre 1806 : il remporte la victoire d'Iéna.

21 novembre 1806 : il décrète le Blocus continental contre l'Angleterre.

1er janvier 1807 : il fait la rencontre de Maria Walewska.

7 juillet 1807 : il signe le traité de Tilsit avec le tsar Alexandre Ier après les victoires d'Eylau du 8 février et de Friedland du 14 juin.

16 août 1807 : il fait de son frère Jérôme le roi de Westphalie.

1er mars 1808 : il crée la noblesse impériale.

4 juin 1808 : il fait de son frère Joseph le roi d'Espagne.

27 septembre 1808 : il rencontre le tsar à Erfurt.

4 décembre 1808 : il obtient la capitulation de Madrid qui s'était soulevée contre Joseph.

22 avril 1809 : il remporte la bataille d'Eckmühl.

22 mai 1809 : il subit un revers à Essling.

6 juillet 1809 : il remporte la victoire de Wagram.

15 décembre 1809 : il divorce de Joséphine.

2 avril 1810 : il épouse Marie-Louise d'Autriche.

3 juin 1810 : il disgracie Fouché.

9 juillet 1810 : il réunit la Hollande à la France.

20 mars 1811 : il lui naît un fils, le roi de Rome.

24 juin 1812 : il franchit le Niémen à la tête de la Grande Armée.

7 septembre 1812 : il remporte la victoire de la Moskova.

18 octobre 1812 : il entame la retraite de Russie en quittant Moscou où la Grande Armée était entrée le 14 septembre.

23 octobre 1812 : il manque d'être renversé par le coup d'État du général Malet.

28 novembre 1812 : il assiste au désastre de la Berezina.

5 décembre 1812 : il décide de précipiter son retour en France et arrive à Paris le 19.

25 janvier 1813 : il signe le Concordat de Fontainebleau.

20 mai 1813 : il remporte la bataille de Bautzen qui suit sa victoire à Lützen le 2 mai.

16-19 octobre 1813 : il subit le désastre de Leipzig.

24 janvier 1814 : il confie à son frère Joseph la lieutenance générale de l'Empire et quitte sa femme et son fils qu'il ne reverra jamais.

18 février 1814 : il remporte la victoire de Montereau qui suit celles de Brienne le 29 janvier, de Champaubert le 10 février et de Montmirail le 11 février.

2 avril 1814 : il est déchu par le Sénat après la capitulation de Paris deux jours plus tôt.

6 avril 1814 : il abdique sans condition après avoir échoué à faire valoir les droits de son fils.

20 avril 1814 : il fait ses adieux à sa Garde à Fontainebleau.

4 mai 1814 : il arrive à l'île d'Elbe dont il a reçu la souveraineté.

1er mars 1815 : il débarque à Golfe-Juan après avoir quitté secrètement l'île d'Elbe le 26 février.

7 mars 1815 : il obtient le ralliement des troupes envoyées pour l'arrêter.

20 mars 1815 : il arrive à Paris qu'a fui Louis XVIII dans la nuit précédente.

1er juin 1815 : il assiste à la cérémonie du Champ de Mai.

16 juin 1815 : il remporte la victoire de Ligny.

18 juin 1815 : il subit son désastre final à Waterloo.

22 juin 1815 : il abdique à Paris où il est revenu la veille.

16 octobre 1815 : il arrive à Sainte-Hélène.

5 mai 1821 : il meurt à Sainte-Hélène.

15 décembre 1840 : ses cendres arrivent à Paris.

Pour mieux connaître Napoléon

Sources

Emmanuel Las Cases, *Mémorial de Sainte-Hélène*, Paris, 1823, avec
une première édition critique par Marcel Dunan en 1951.
Correspondance de Napoléon publiée sur ordre de l'empereur Napoléon III,
Paris 1858-1870, 32 vol.
Jean Tulard, *L'Anti-Napoléon. La légende noire de l'empereur*, Paris,
coll. Archives, 1965.
Œuvres littéraires et écrits militaires de Napoléon, édition annotée et
préfacée par Jean Tulard, Société encyclopédique française,
3 vol., 1976.

Lieux de mémoire et reconstitutions historiques

La Casa Bonaparte d'Ajaccio (tél. : 04 95 21 43 89), maison natale
de Napoléon où l'on verra outre la chambre où il nacquit, le salon
rose de sa mère et une galerie de portraits.

Le **petit musée Napoléon Ier de Brienne-le-Château** (tél. :
03 25 92 82 41) rend hommage à la fois au passage de Bonaparte à
l'école militaire et à la campagne de France de 1814.

Puisque le palais des Tuileries a été détruit en 1871, c'est au
château de Fontainebleau (tél. : 01 60 71 50 70) que l'on sent certainement le plus la présence de l'Empereur, avec en particulier le
beau musée Napoléon, les petits appartements, la salle du Trône et
la cour des Adieux.

À Rueil-Malmaison, le **château de Malmaison** (tél. : 01 41 29 05 55),
demeure de Joséphine, mais aussi résidence du Premier consul de
1800 à 1802, nous propose, outre des souvenirs de la première Impératrice, le bureau de Napoléon, sa chambre à coucher, sa bibliothè-
que de plus de quarante-cinq mille volumes ainsi qu'une intéressante
galerie de tableaux dont l'une des versions de *Bonaparte franchissant
les Alpes au Grand-Saint-Bernard*, de David.

Le **musée de Versailles** (tél. : 01 30 83 77 88) est le plus grand musée de peinture sur le Consulat et l'Empire. On y admirera en particulier les plus célèbres toiles de David dont *Bonaparte franchissant les Alpes au Grand-Saint-Bernard* et *L'Empereur couronnant Joséphine*, tableau du sacre, et, de Gros : *Le Général Bonaparte au pont d'Arcole*...

Le **musée de l'Armée aux Invalides** (tél. : 01 44 42 39 09) présente, entre autres, la maquette du passage du pont de Lodi, l'habit de Bonaparte à Marengo, la reconstitution de la chambre mortuaire de Sainte-Hélène. Non loin de là, sous le dôme des Invalides, il ne faut pas manquer le tombeau de l'Empereur.

Quant au **musée de l'Empéri, à Salon-de-Provence** (tél. : 04 90 56 22 36), il rassemble une impressionnante collection de tenues militaires, d'armes et de documents manuscrits sur la période napoléonienne.

À l'étranger, de nombreux musées sont également consacrés au grand homme. Il en est par exemple ainsi des **musées Napoléon de Rome, Arenenberg et La Havane** ou encore du **Wellington Museum de Londres**, car le duc de Wellington, le vainqueur de Waterloo, était un fervent admirateur de l'Empereur et a réuni une collection importante de souvenirs sur son illustre adversaire.

Bibliographie succincte

Les deux ouvrages de référence sont :

Jean Tulard, *Napoléon ou le mythe du sauveur*, Fayard, 1977, plusieurs rééditions.
— (dir.), *Dictionnaire Napoléon*, Fayard, 1987, réédition 1999.

On peut y ajouter :
Jean-Paul Bertaud, *Histoire du Consulat et de l'Empire*, Perrin, 1991.
Jacques-Olivier Boudon, *Histoire du Consulat et de l'Empire*, Perrin, « Pour l'histoire », 2000, réédition Tempus, 2003.
José Cabanis, *Le Sacre de Napoléon*, Gallimard, « Les Trente Journées... », 1970, réédition, « Folio/histoire », 1998.
David Chanteranne et Isabelle Veyrat-Masson, *Napoléon à l'écran. Cinéma et télévision*, Nouveau Monde éditions, 2003.
Collectif, *Napoléon de l'histoire à la légende*, In Forma, Maisonneuve et Larose, 2000.
Roger Dufraisse, *Napoléon*, PUF, « Que sais-je ? », 1987.
Alfred Fierro, André Palluel-Guillard et Jean Tulard, *Histoire et dictionnaire du Consulat et de l'Empire*, Robert Laffont, « Bouquins », 1995.
André Latreille, *L'Ère napoléonienne*, Paris, 1974, coll. U.

Thierry Lentz, *Napoléon, « Mon ambition était grande »*, Gallimard, « Découvertes », 1998.

Thierry Lentz, *Napoléon*, PUF, « Que sais-je ? », 2003.

Christophe Loviny et Alain Dautriat, *Napoléon, La photobiographie*, Jazz éditions et Calmann-Lévy, 1999.

Claude Manceron, *L'Épopée de Napoléon en mille images*, Robert Laffont, Pont Royal, 1964.

Jean Mistler (dir.), *Napoléon et l'Empire*, Hachette, 2 vol., 1968.

André Palluel-Guillard, *Dictionnaire de l'Empereur*, Plon, 1969.

Natalie Petiteau, *Le Mythe de Napoléon*, Armand Colin, 1999.

Jean Tranié, *Napoléon et son entourage*, Pygmalion, 2001.

Jean Tulard, *Le Grand Empire, 1804-1815*, Albin Michel, 1982.

—, *L'Histoire de Napoléon par la peinture*, Belfond, 1991.

—, *Le 18 Brumaire, Comment terminer une révolution*, Perrin, « Une journée dans l'histoire », 1999.

Jean Tulard et Louis Garros, *Itinéraire de Napoléon au jour le jour*, Tallandier, 1992, réédition 2002.

Contacts de référence

L'Institut Napoléon est une société savante qui réunit des universitaires et des érudits, se consacre aux études napoléoniennes depuis 1932 et publie une revue (deux livraisons par an). Elle est domiciliée à la Sorbonne – IVe section de l'École pratique des hautes études – 45, rue des Écoles – 75005 Paris.

Le Souvenir napoléonien (tél. : 01 45 22 37 32) est une association reconnue d'utilité publique dont le siège se trouve 82, rue de Monceau – 75008 Paris. Il rassemble plusieurs milliers de passionnés des deux Empires français par le biais de délégations en province et à l'étranger, édite une revue du même nom (six numéros par an) et organise des conférences, des colloques, des visites et des voyages d'étude.

La Fondation Napoléon (tél. : 01 56 43 46 00) située 148, boulevard Haussmann – 75008 Paris est un lieu d'information et de documentation de premier ordre pour la période qui s'étend du Consulat au second Empire.

Sites internet

www.napoleon.org, le site de référence dû à la Fondation Napoléon répond à la plupart des questions que l'on peut se poser sur l'Empereur et donne toutes les parutions et manifestations qui lui sont consacrées. On peut aussi y consulter plus de cinq mille volumes en ligne. Le complément de ce site **SG.www.napoleonica.org** propose des documents rares, voire inédits sur la période du Consulat et de l'Empire comme des lettres de Napoléon, les travaux du Conseil d'État...

www.institut-napoleon.org est le site de l'Institut Napoléon. On y trouvera, entre autres, les sommaires des différents numéros de la prestigieuse *Revue des études napoléoniennes* publiée à partir de 1912 puis de la *Revue de l'Institut Napoléon* qui est sa continuatrice.

Signalons aussi parmi la centaine d'autres sites consacrés en propre à l'Empereur :

www.bonaparte-France.com
www.napoleon1^{er}.com
www.napoleonic-society.com

Table des matières

Préambule 7

Chapitre I   – Entrer dans la vie (1768-1796) 13

Chapitre II   – Entrer dans l'Histoire (1796-1799) 22

Chapitre III   – Prendre le pouvoir (1799) 32

Chapitre IV   – Diriger la France (1800-1804) 41

Chapitre V   – Dominer l'Europe (1804-1808) 51

Chapitre VI   – Se survivre (1808-1814) 62

Chapitre VII – Forger la légende (1814-1821) 72

Un portrait de Napoléon 81

Cent dates clés de la vie de Napoléon 85

Pour mieux connaître Napoléon 91

669

Composition PCA - 44400 Rezé
Achevé d'imprimer en France (Ligugé)
par Aubin Imprimeur en février 2008 pour le compte de E.J.L.
87, quai Panhard-et-Levassor, 75013 Paris
Dépôt légal février 2008
1ᵉʳ dépôt légal dans la collection : novembre 2004
EAN 9782290337301

Diffusion France et étranger : Flammarion